RING 지음

YoungJin.com Y.
영진닷컴

**ISBN** : 978-89-314-7456-5

**독자님의 의견을 받습니다.**

이 책을 구입한 독자님은 영진닷컴의 가장 중요한 비평가이자 조언가입니다. 저희 책의 장점과 문제점이 무엇인지, 어떤 책이 출판되기를 바라는지, 책을 더욱 알차게 꾸밀 수 있는 아이디어가 있으면 팩스나 이메일, 또는 우편으로 연락주시기 바랍니다. 의견을 주실 때에는 책 제목 및 독자님의 성함과 연락처(전화번호나 이메일)를 꼭 남겨 주시기 바랍니다. 독자님의 의견에 대해 바로 답변을 드리고, 또 독자님의 의견을 다음 책에 충분히 반영하도록 늘 노력하겠습니다.

파본이나 잘못된 도서는 구입처에서 교환 및 환불해드립니다.

**이메일** : support@youngjin.com
**주　소** : (우)08507 서울특별시 금천구 가산디지털1로 128 STX-V타워 4층 401호
**등　록** : 2007. 4. 27. 제16-4189호

**STAFF**
**저자** RING | **총괄** 김태경 | **기획** 김연희 | **디자인 · 편집** 유채민
**영업** 박준용, 임용수, 김도현, 이윤철 | **마케팅** 이승희, 김근주, 조민영, 김민지, 김도연, 김진희, 이현아
**제작** 황장협 | **인쇄** 예림인쇄

# 저자의 말

저는 사람들이 소위 말하는 기계치에게 가까운 사람이라 디지털 드로잉에 쓰이는 프로그램들을 다루기가 무척 어려워 디지털 드로잉을 시작하는 것이 쉽지 않았습니다. 아이패드를 처음 구입한 후 프로크리에이트를 접했을 땐 다른 프로그램들에 비해 인터페이스와 기능들이 눈에 잘 들어오고 익히기 쉬워서 어려워 보이던 디지털 드로잉도 아무렇지 않게 그릴 수 있게 되었습니다. 그만큼 평소에 애용하는 앱이기에 여러분들에게 소개해 드릴 수 있어서 뜻깊습니다. 프로크리에이트를 활용해서 자신만의 그림을 그릴 수 있게 저만의 노하우를 담았으니 함께 작품을 그려낼 수 있다면 좋을 것 같습니다.

by RING

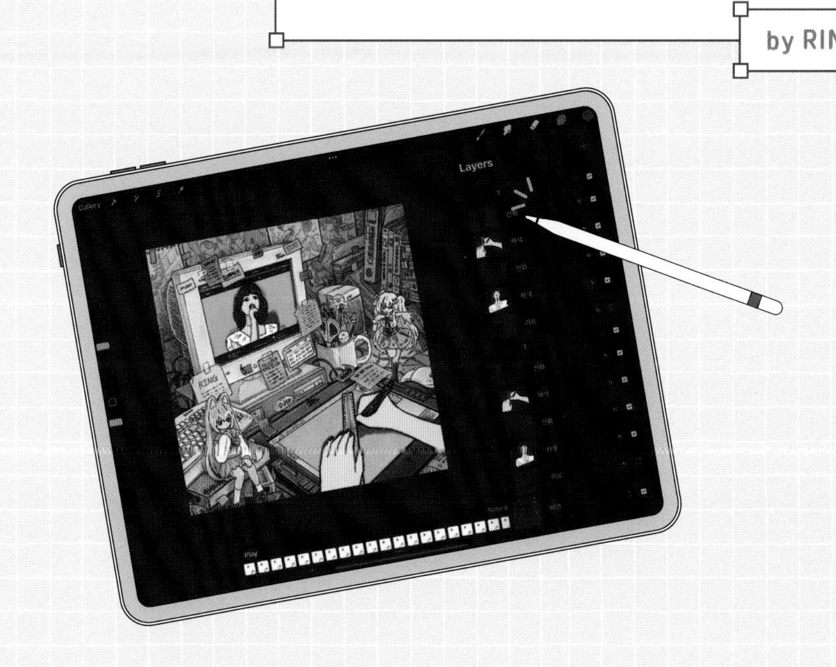

C/O/N/T/E/N/T/S

File 02

# Let's Illustrate!

File 03

# Let's Animate!

# How to Use



File 05

# RING Making & Illustrations

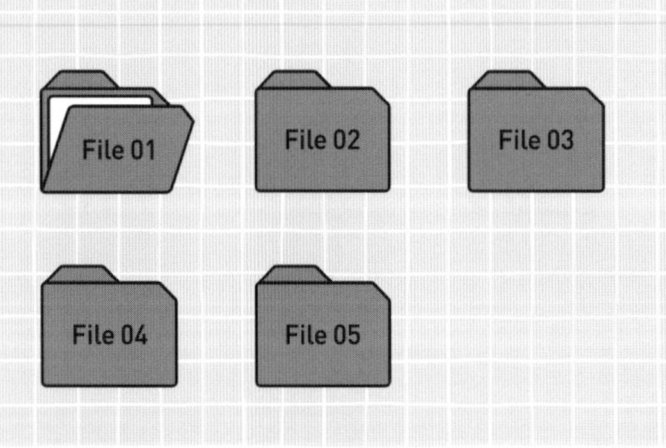
File 01
File 02
File 03
File 04
File 05

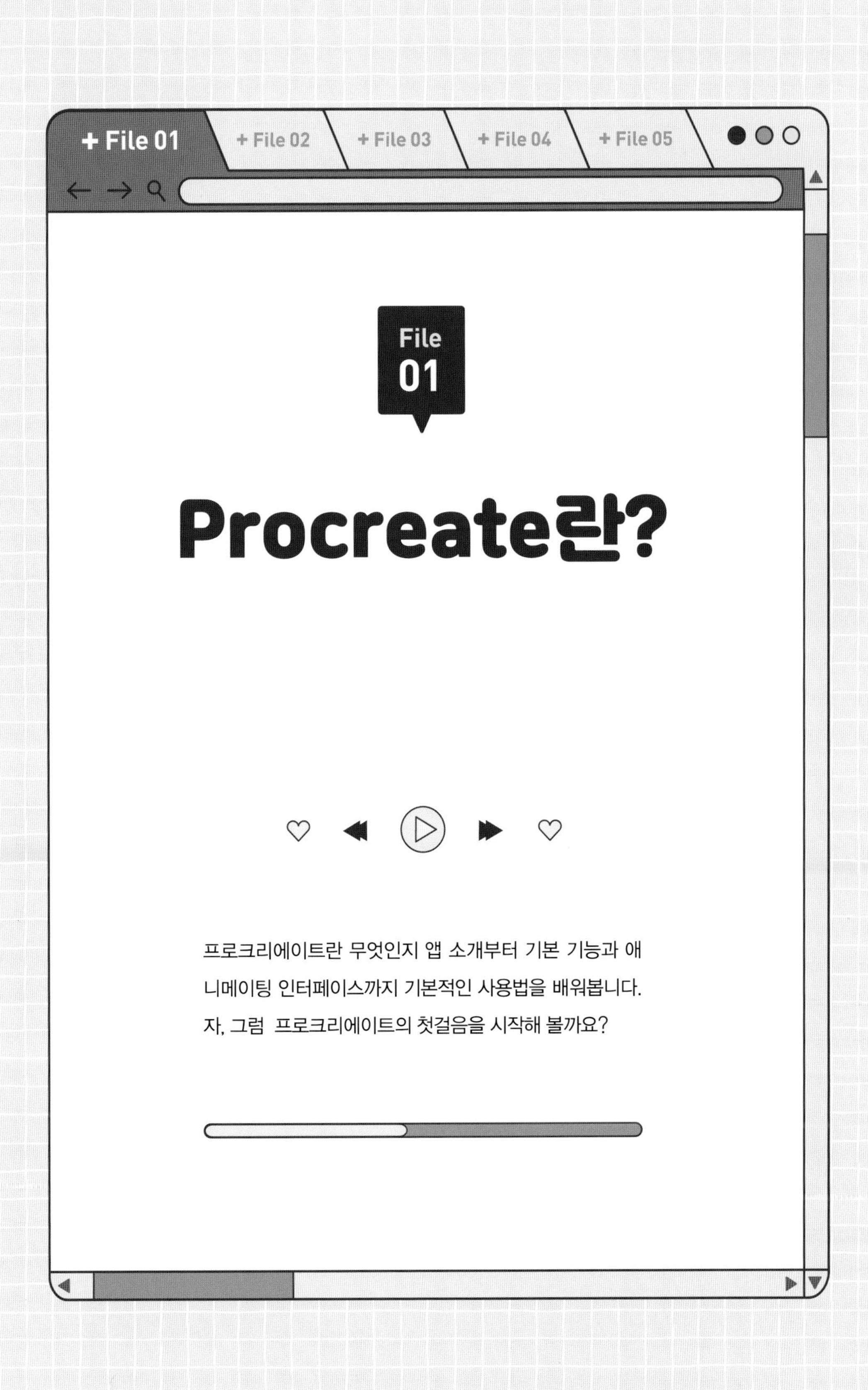


File 01

# Procreate란?

프로크리에이트란 무엇인지 앱 소개부터 기본 기능과 애니메이팅 인터페이스까지 기본적인 사용법을 배워봅니다. 자, 그럼 프로크리에이트의 첫걸음을 시작해 볼까요?

# 프로크리에이트 소개

아이패드 드로잉을 시작하기 위해선 아이패드와 애플 펜슬 그리고 Procreate 앱이 필요합니다. 여기서는 기기 종류와 앱 다운로드 방법을 알아보아요.

아이패드로 드로잉을 하려면 기본적으로 아이패드와 애플 펜슬이 필요합니다. 저는 현재 아이패드 프로 3세대 12.9인치를 사용하고 있습니다. 아이패드의 기종, 세대별로 프로크리에이트의 사용 여부와 소수의 활용 기능이 달라지니 드로잉을 위해서 아이패드를 살 때 잘 참고하여 구매하도록 해요.

▶ 애플 펜슬 1세대 호환 기기

iPad mini(5세대) / iPad(6, 7, 8, 9세대) / iPad Air(3세대) / iPad Pro 12.9(1, 2세대) / iPad Pro 10.5 / iPad Pro 9.7

▶ 애플 펜슬 2세대 호환 기기

iPad mini(6세대) / iPad Air(4세대 및 이후 모델) / iPad Pro 12.9(3세대 및 이후 모델) / iPad Pro 11 (1세대 및 이후 모델)

구매할 때 용량에 관해서 고민이 많을 거예요. 저와 같이 애니메이팅을 곁들인 드로잉이나 일러스트를 그리고 싶다면 128GB 이상을 추천합니다. 아이패드 용량이 작다면 아이클라우드(iCloud)를 사용하여 작업물을 따로 저장할 수도 있습니다.

프로크리에이트는 아이패드 앱스토어에서 구입할 수 있는 유료 드로잉 앱입니다. 포토샵이나 클립 스튜디오보다 인터페이스가 간단해 처음 드로잉을 시작하는 분은 물론, 전문적으로 작업하는 분들도 많이 사용하고 있습니다. 한 번 구매하면 요금제 없이 계속 사용할 수 있어 시작하기에도 부담 없습니다.

앱스토어에 접속하여 Procreate를 구매한 후 다운로드받으면 언제든지 드로잉을 시작할 수 있습니다.

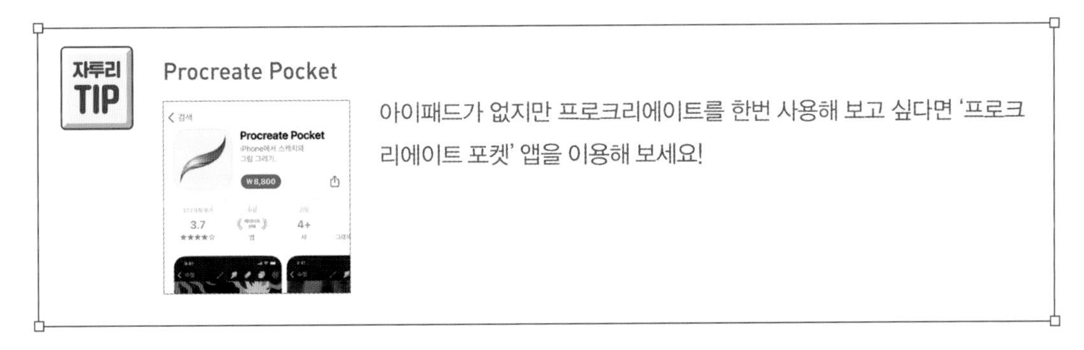

자투리 TIP

**Procreate Pocket**

아이패드가 없지만 프로크리에이트를 한번 사용해 보고 싶다면 '프로크리에이트 포켓' 앱을 이용해 보세요!

# 프로크리에이트 인터페이스 알아보기

프로크리에이트의 메인 화면인 Gallery의 기능을 살피고 캔버스의 기본 기능을 알아보도록 하겠습니다.

## Gallery

01 프로크리에이트를 처음 실행하면 [Gallery]가 나타납니다.

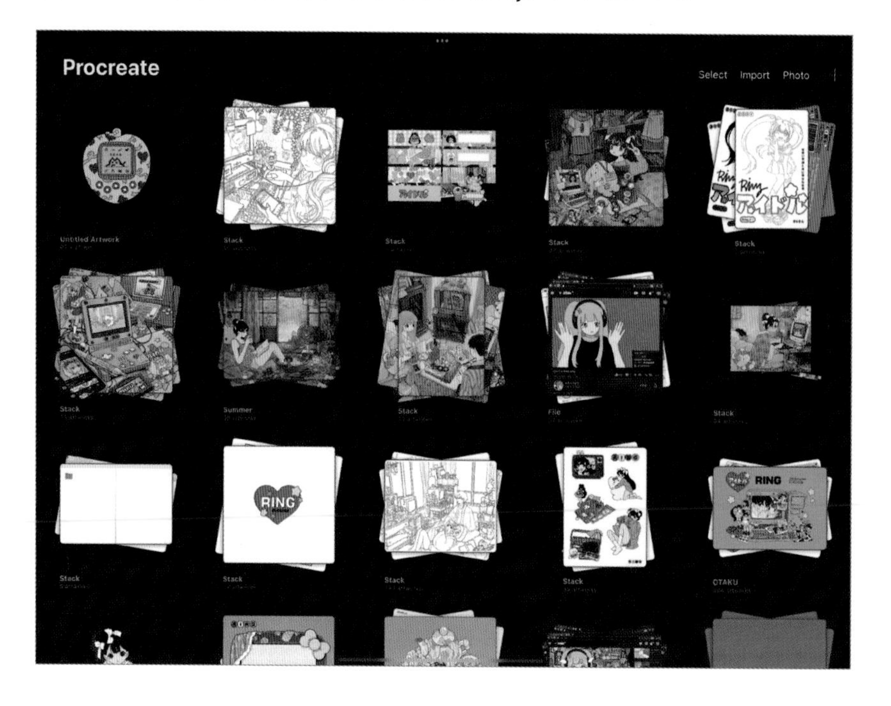

프로크리에이트는 자동 저장되기 때문에 따로 저장할 필요가 없습니다. 하지만 작업 자체의 안전한 백업을 원한다면 iCloud 파일에 따로 저장해두는 것을 추천합니다.

## 02 작업물을 선택했다가 [Gallery]를 누르면 'Gallery' 화면으로 돌아옵니다.

### Select, Import, Photo, + 메뉴

Gallery 화면의 우측에는 Select, Import, Photo, + 메뉴가 있습니다.

❶ Select : 작업물을 선택하여 Stack(쌓아올리기), Preview(미리 보기), Share(공유), Duplicate(복제), Delete(삭제)가 가능합니다.

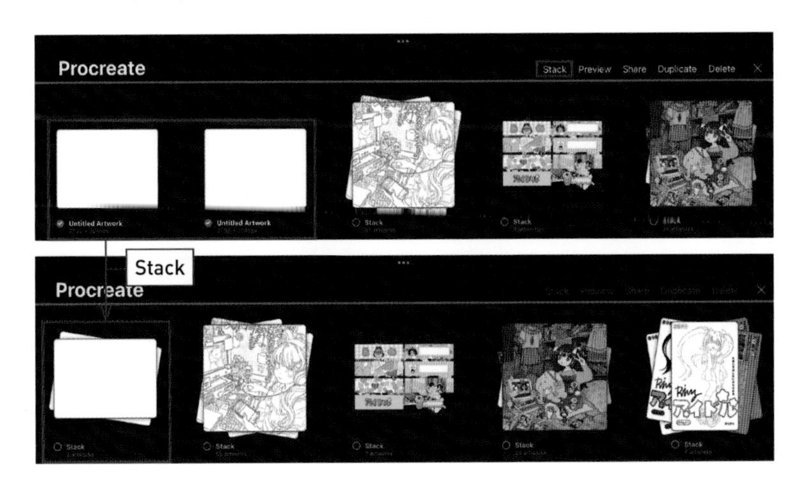

❷ Import : iCloud Drive나 아이패드에 저장한 다른 파일들을 불러올 수 있습니다.

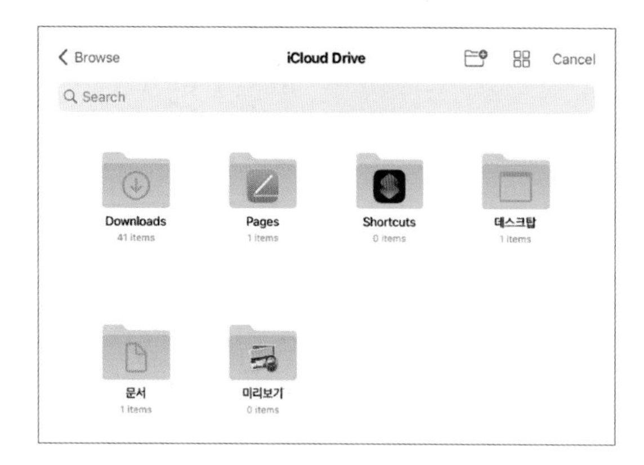


❸ Photo : 사진첩에 저장한 사진을 불러올 수 있습니다.

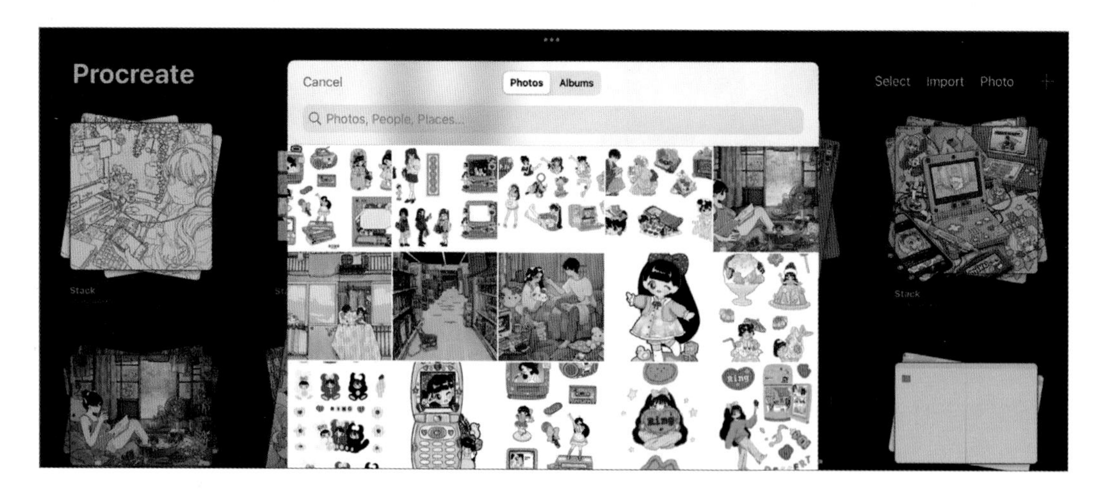


❹ + : 'New canvas' 스크린이 나타납니다. 새로운 캔버스를 만들 수 있습니다. 아래에는 설정되어 있는 캔버스 사이즈 목록이 나타납니다. 우측의 [Custom Canvas](▬) 버튼을 누르면 본인이 직접 캔버스의 사이스와 컬러를 설정할 수 있습니다.

## 캔버스 사이즈와 컬러 설정하기

[Custom Canvas]에서 사용자가 원하는 형식의 캔버스 사이즈와 컬러를 설정할 수 있습니다.

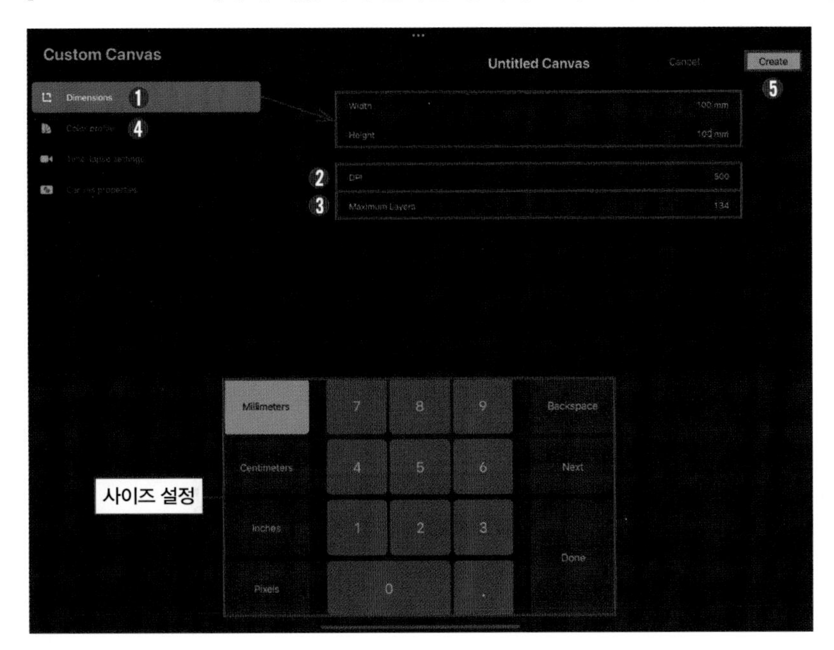


❶ Dimensions : 원하는 사이즈로 캔버스를 지정합니다.

❷ DPI(해상도) : 일반적으로 300DPI 이상을 권장합니다.

❸ Maximum Layers : 정한 캔버스 사이즈에서 사용할 수 있는 최대 레이어 수를 알려 줍니다.

캔버스의 사이즈가 커질수록 추가할 수 있는 레이어가 줄어듭니다. 평소 레이어를 많이 사용한다면 사이즈를 지정할 때 꼭 Maximun Layers를 확인하도록 합니다.

❹ Color profile : RGB와 CMYK 색감 설정이 가능합니다.

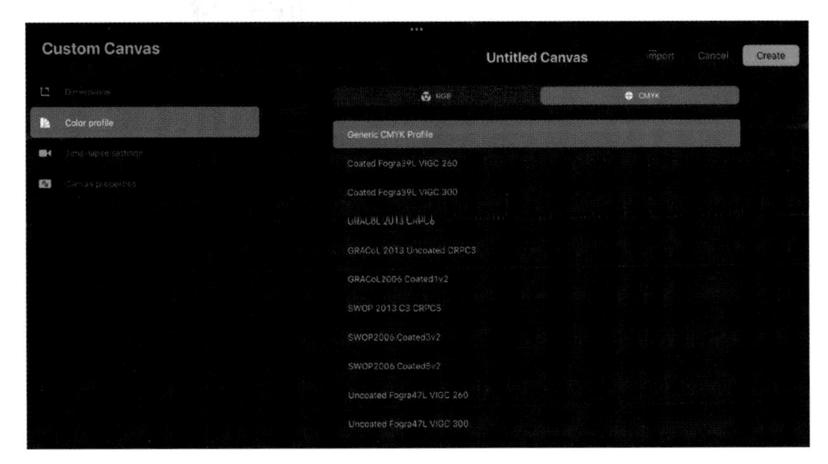

RGB는 색감이 CMYK보다 밝고 선명하며 구현할 수 있는 색이 다양한 방면 CMYK는 그에 비해 채도가 낮습니다. 그럼에도 CMYK를 사용하는 이유는 CMYK의 색은 화면에 보이는 대로 인쇄물 구현이 가능하기 때문입니다. 작품의 인쇄를 염두에 둘 때는 CMYK를 사용하고 웹 디자인 같은 모니터용 작업에는 RGB를 선택하도록 합니다. 참고로 저는 항상 CMYK 선택지의 맨 위에 있는 [Generic CMYK Profile]로 설정하여 작업하고 있습니다.

❺ Create : 캔버스를 생성합니다.

# 프로크리에이트 캔버스

## 애플 펜슬로 그리기

프로크리에이트를 처음 시작한다면 [Actions] 메뉴 목록에서 [Prefs]를 터치합니다. [Gesture controls]에서 [General]을 선택한 후 가장 위에 있는 [Disable Touch actions]를 켜주세요. 이 기능이 실행되어야 손가락이 화면에 닿을 때 팬으로 인식되지 않습니다. 쉽게 말해, 애플 펜슬로만 그림을 그릴 수 있게 해줍니다.

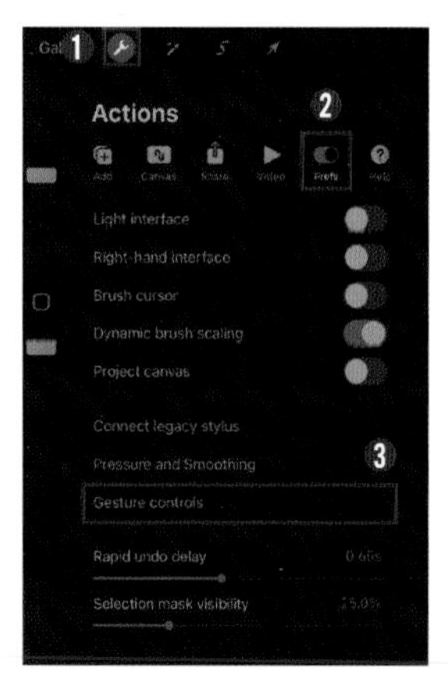


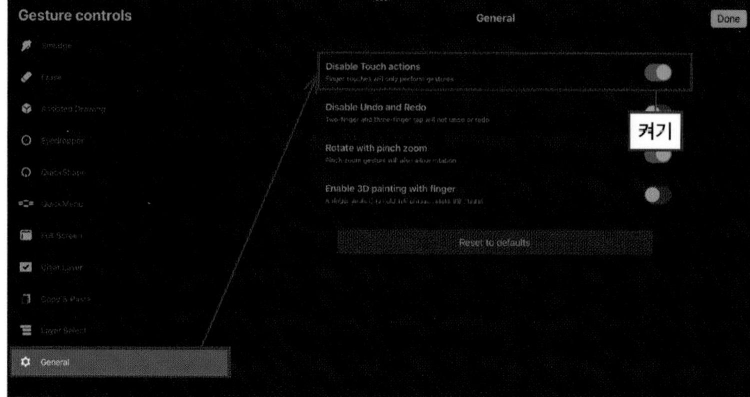

Procreate Pocket에서는 'Gesture controls'에서 본인이 쓰기 편한 대로 다양한 동작을 수정하고 설정할 수 있습니다.

## Actions의 기능

화면에서 Add, Canvas, Share, Video 등의 기능을 선택할 수 있습니다.

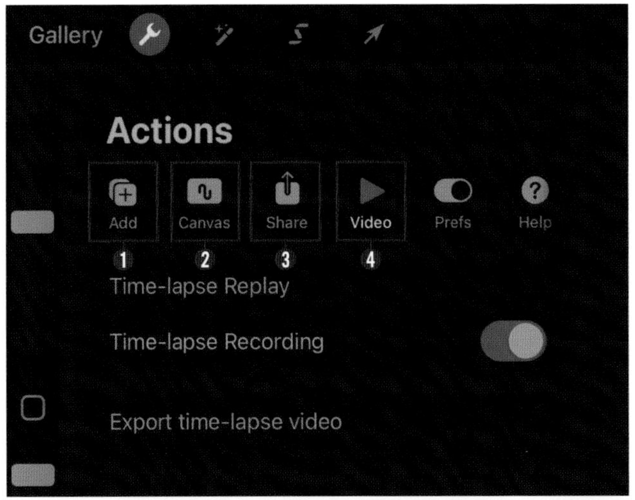


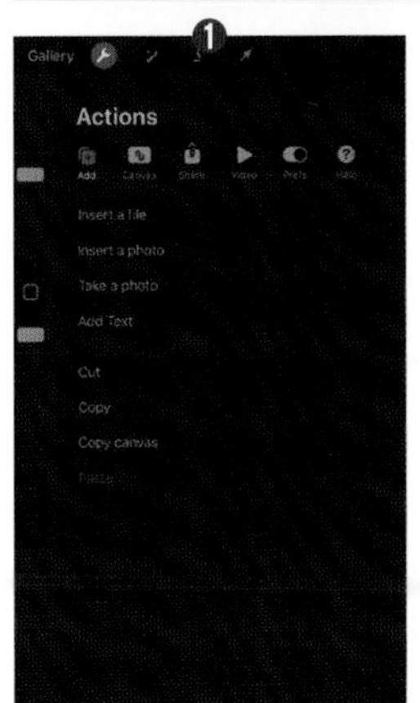

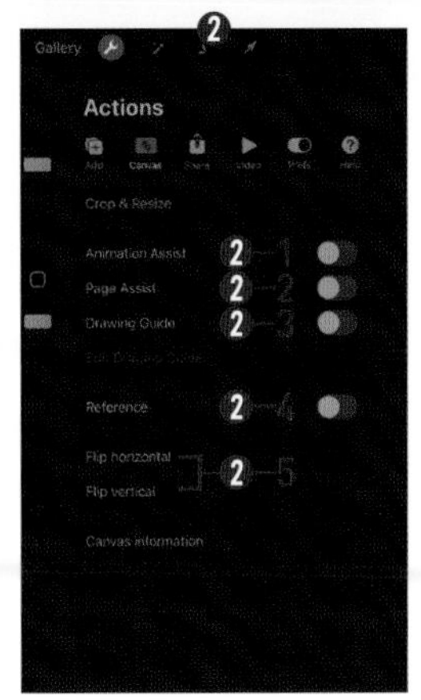

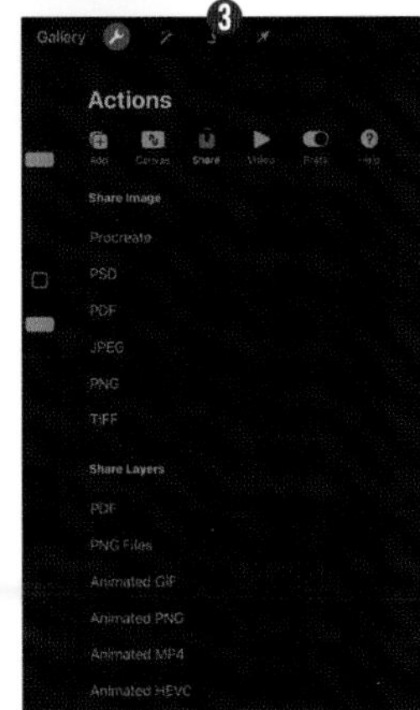

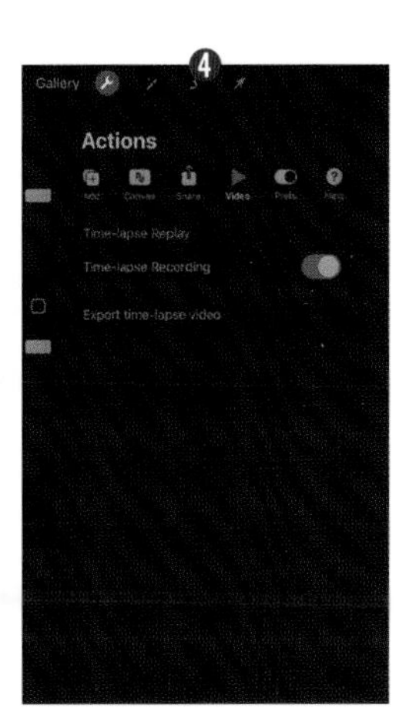

❶ Add : 파일이나 사진을 불러오기, Text 추가, 아래에는 캔버스 복제 기능이 있습니다.

❷ Canvas : 사이즈를 크롭합니다.

❷–1 Animation Assist : 애니메이팅 인터페이스를 생성합니다.

❷–2 Page Assist : PDF 페이지 인터페이스를 생성합니다.

❷–3 Drawing Guide : 그리드가 생성됩니다. 그리드의 사이즈와 색감을 수정할 수 있습니다.

❷–4 Reference : 캔버스 확인 및 레퍼런스를 보며 그림을 그릴 수 있는 기능입니다.

❷–5 Flip horizontal / vertical : 좌우반전, 상하반전이 가능합니다.

❸ Share : 작품을 완성한 후 원하는 양식을 선택해 저장 및 공유할 수 있습니다.

❹ Video : Time–lapse 영상을 보거나 저장할 수 있습니다.

### 마법봉과 브러시

좌측 상단 메뉴 중 [마법봉]( ) 메뉴의 [Adjustments]에서는 색상 편집, 블러 등 다양한 기능이 있습니다. [브러시]( )를 선택하면 프로크리에이트에 있는 다양한 브러시를 볼 수 있습니다.

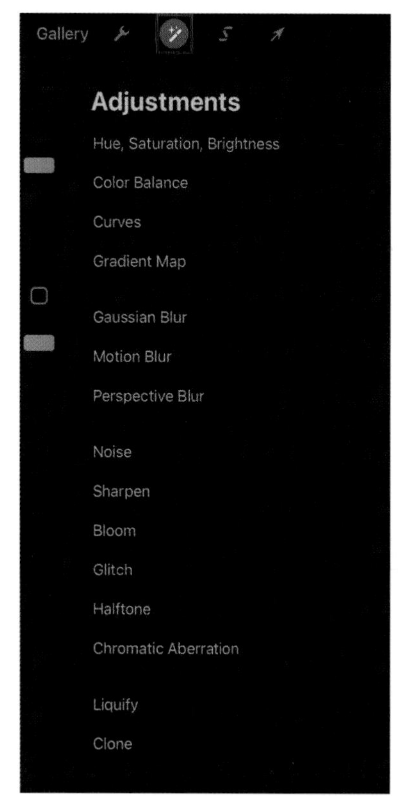

저는 [Inking]의 [Fine Tip] 브러시를 선택해서 사용하고 있습니다. 이미 깔려 있는 기본 브러시 외에도 인터넷에서 새로운 브러시를 찾아 구입하거나 무료로 다운로드받아서 사용할 수 있습니다. 더 자세한 내용은 브러시 파트를 참고하세요!

URL https://folio.procreate.com/discussions/10

## 화면 여러 개로 작업하기

프로크리에이트 화면 정중앙의 맨 위에 있는 ···를 터치하면 3가지의 화면 비율을 선택할 수 있습니다. 프로크리에이트와 다른 앱을 함께 실행하면서 작업할 수 있으며, 각 앱의 화면 비율 조정도 동일하게 설정할 수 있습니다.

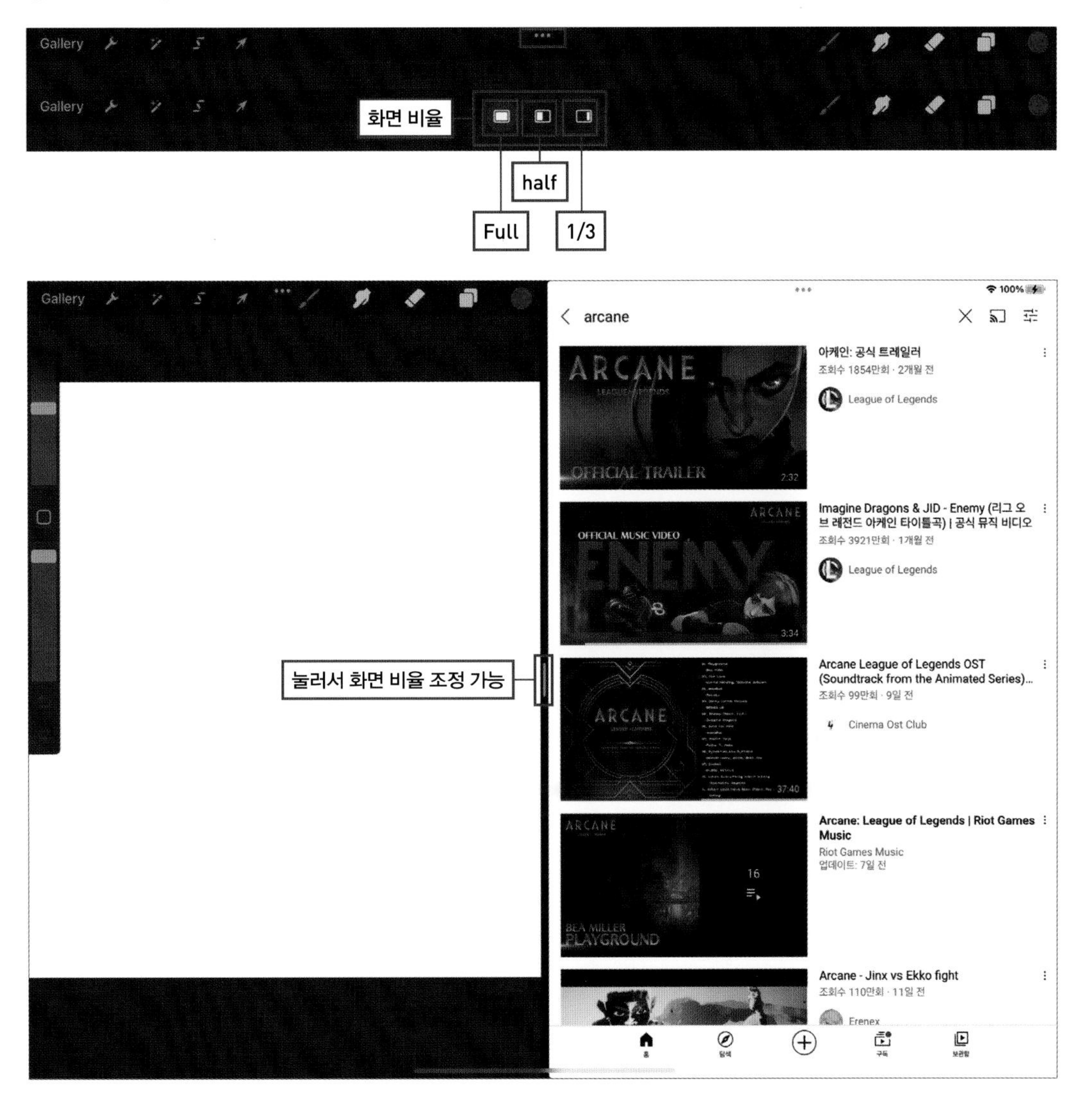

## 기본 툴 살펴보기

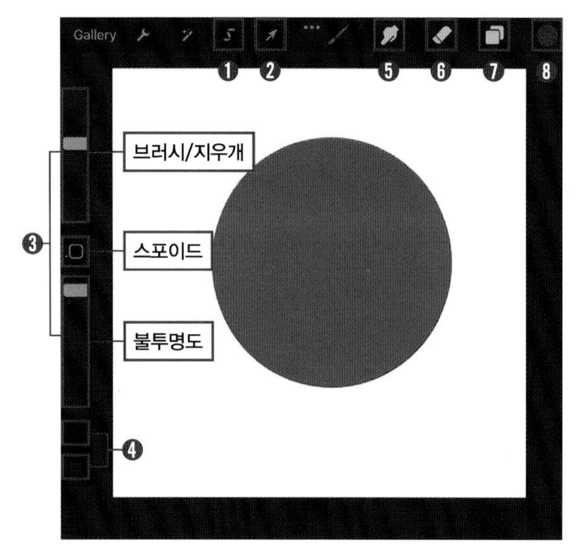


❶ [올가미] 툴로 레이어에서 수정하고 싶은 곳을 직접 펜으로 그린 후 ❷를 선택해서 편집할 수 있습니다. [Freehand]를 사용해서 그림의 전체가 아닌 한 부분만 수정하고 싶을 때 사용하면 편리합니다.

❷ [편집] 툴로 레이어 전체를 쉽게 편집할 수 있습니다. 사이즈 조절, 왜곡하기 등의 수정을 할 수 있습니다.

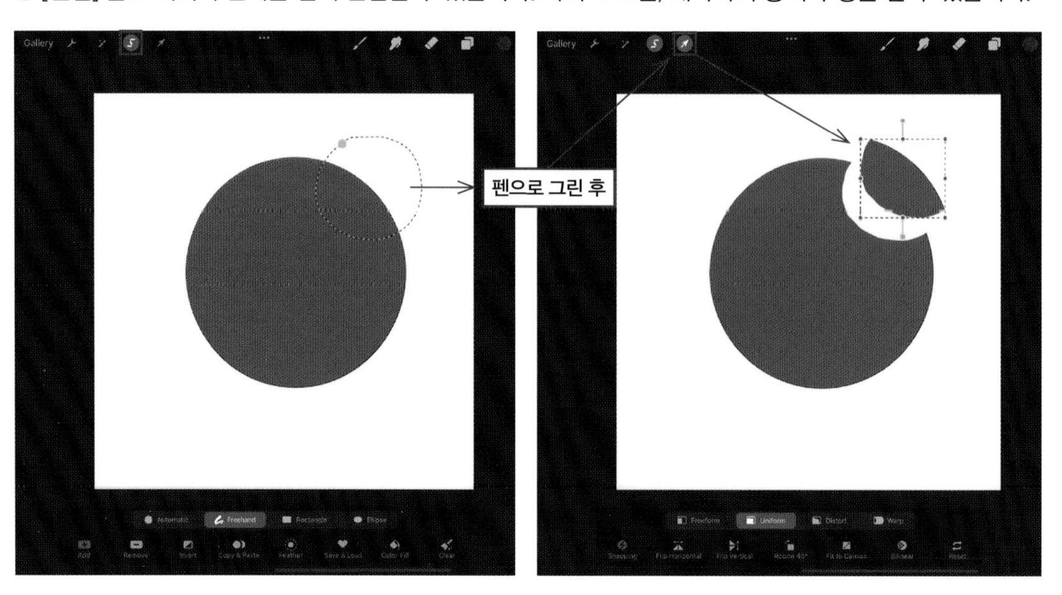

[Snapping] 버튼을 켜면 정렬 기능이 뜹니다. 각도 조절도 편리하게 할 수 있습니다.

❸ [브러시]와 [지우개] 툴의 사이즈와 [불투명도]를 조절해 주는 기능입니다. [스포이드](■) 기능을 사용하면 원하는 색감을 선택할 수 있습니다.

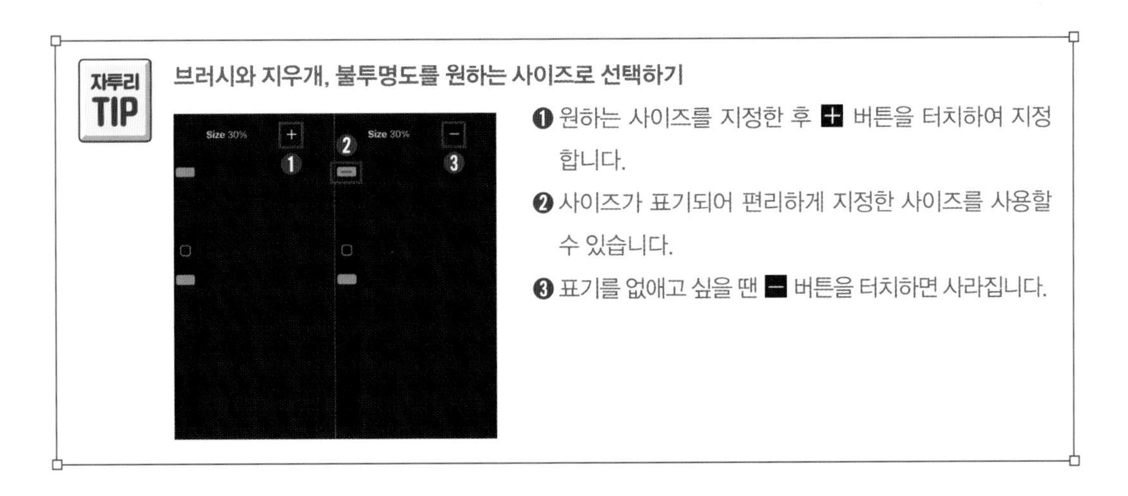


**자투리 TIP**

**브러시와 지우개, 불투명도를 원하는 사이즈로 선택하기**

❶ 원하는 사이즈를 지정한 후 ➕ 버튼을 터치하여 지정합니다.

❷ 사이즈가 표기되어 편리하게 지정한 사이즈를 사용할 수 있습니다.

❸ 표기를 없애고 싶을 땐 ➖ 버튼을 터치하면 사라집니다.

❹ [뒤로 가기]/[앞으로 가기] 기능입니다.

❺ [스머지] 툴입니다. 번지기 기능으로 여러 종류가 있습니다.

❻ [지우개] 도구입니다.

❼ [레이어]입니다.

❽ [색감 팔레트]입니다. 원하는 색을 선택할 수 있습니다. 컬러 인터페이스가 다양하니 작업하면서 편한 인터페이스를 선택하도록 합니다.

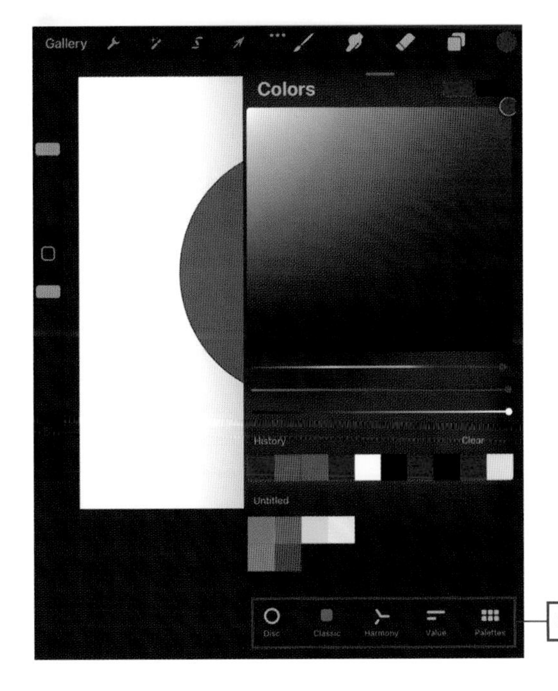


다양한 컬러 팔레트

### 사진에서 색감 팔레트 생성하기

그림을 그릴 때 컬러 팔레트와 색감 표현이 어렵다면 사진을 사용해 색감 팔레트를 생성할 수 있습니다. 사진첩에서 원하는 색감의 사진을 색감 팔레트의 Palettes로 끌어와 추가하면 자동으로 색감 팔레트를 만들 수 있습니다.

**01** 사진첩 앱과 프로크리에이트 앱을 화면에 함께 띄웁니다.

**02** [색감 팔레트]-[Palettes]를 차례대로 선택합니다.

**03** 사진첩에서 원하는 사진을 길게 터치한 상태로 'Palettes'에 초록색 플러스 아이콘이 뜨도록 프로크리에이트 팔레트로 옮깁니다.

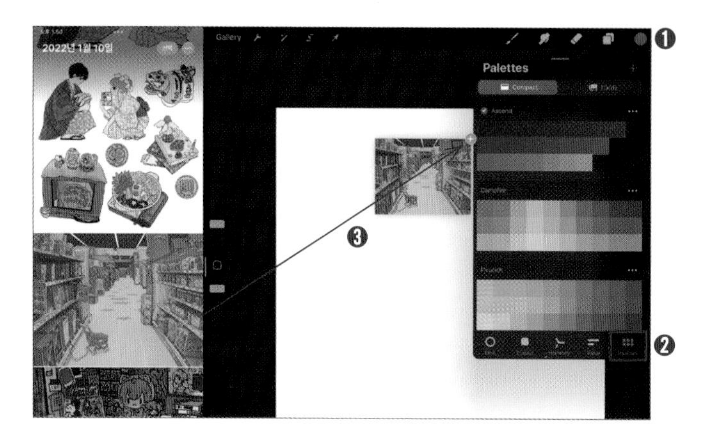


**04** 사진을 옮겨 추가하면 프로크리에이트가 자동으로 컬러 팔레트를 생성합니다.

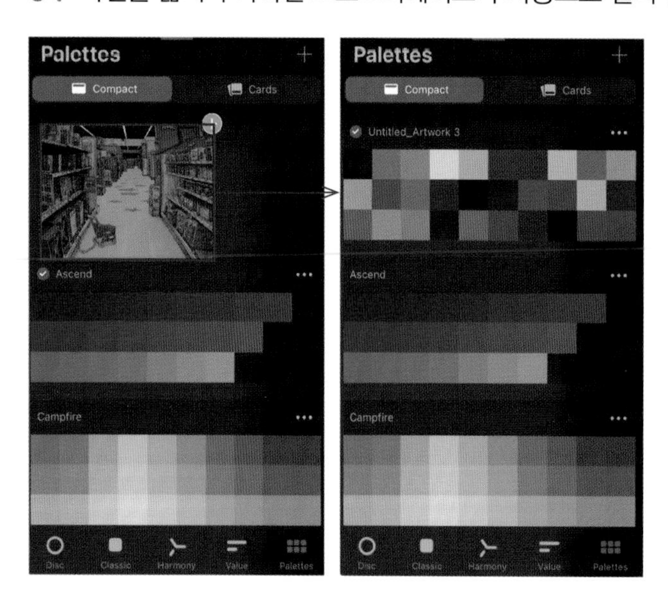

## 제스처

프로크리에이트의 가장 큰 장점은 손가락 터치로 제스처가 가능하다는 것입니다. 또한 애플 펜슬을 사용해 다양한 제스처 기능을 사용할 수 있습니다. 제스처는 프로크리에이트 설정에서 자신이 편한 대로 제어하거나 설정할 수 있습니다. 여기 나와 있는 제스처는 모두 기본적인 것들이므로 자신이 사용하고 있는 기기의 성능에 맞는 다양한 제스처를 찾아서 사용해 보도록 해요.

### 손가락 제스처

**01** Undo(뒤로 가기)

두 손가락으로 한 번 탭합니다.

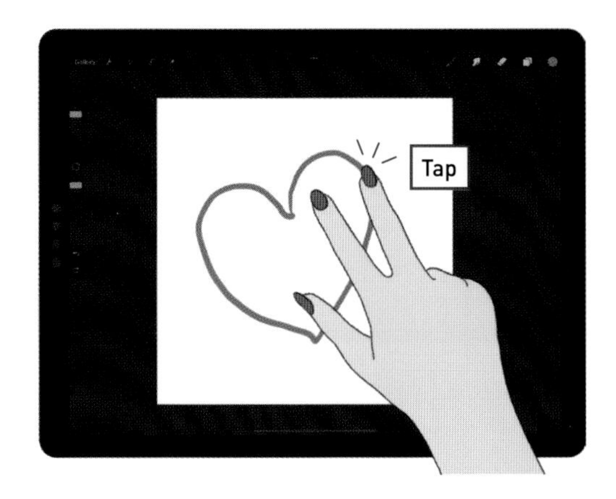


**02** Redo(앞으로 가기)

세 손가락으로 화면을 한 번 탭합니다.

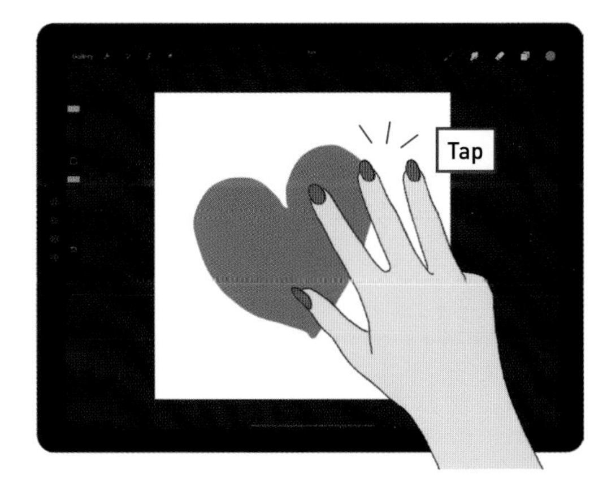

**03** Clear Canvas(캔버스 지우기)

세 손가락으로 화면을 위아래로 쓱쓱 가볍게 문지릅니다.

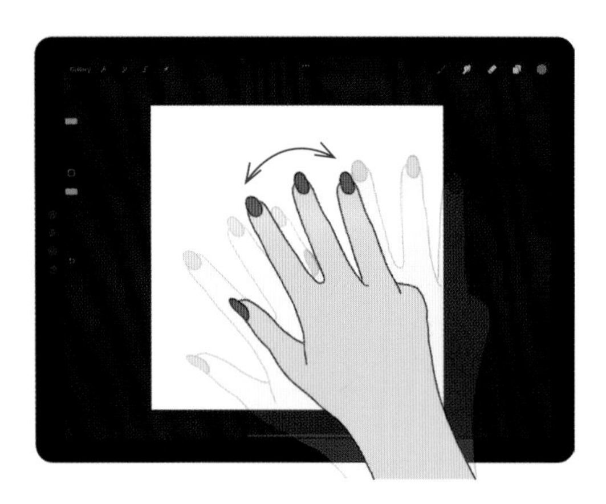

**04** Zoom in/Zoom Out(줌 인/줌 아웃)

손가락 두 개로 캔버스를 꼬집듯이 터치하면 축소됩니다. 반대로 손가락 두 개로 캔버스를 터치해 벌리면 확대됩니다.

### 애플 펜슬 제스처

애플 펜슬 2세대의 경우 표시된 면을 더블 탭하면 도구를 바꾸는 기능이 있습니다. 브러시에서 지우개로 자유자재로 바꿀 수 있습니다.

이 부분을 톡톡 쳐서 브러시에서 지우개로 변경 가능

# 프로크리에이트 레이어

[레이어 추가](➕)를 터치하면 레이어가 추가됩니다. 여기서 배경 화면인 캔버스의 기본 색상을 선택할 수도 있습니다.

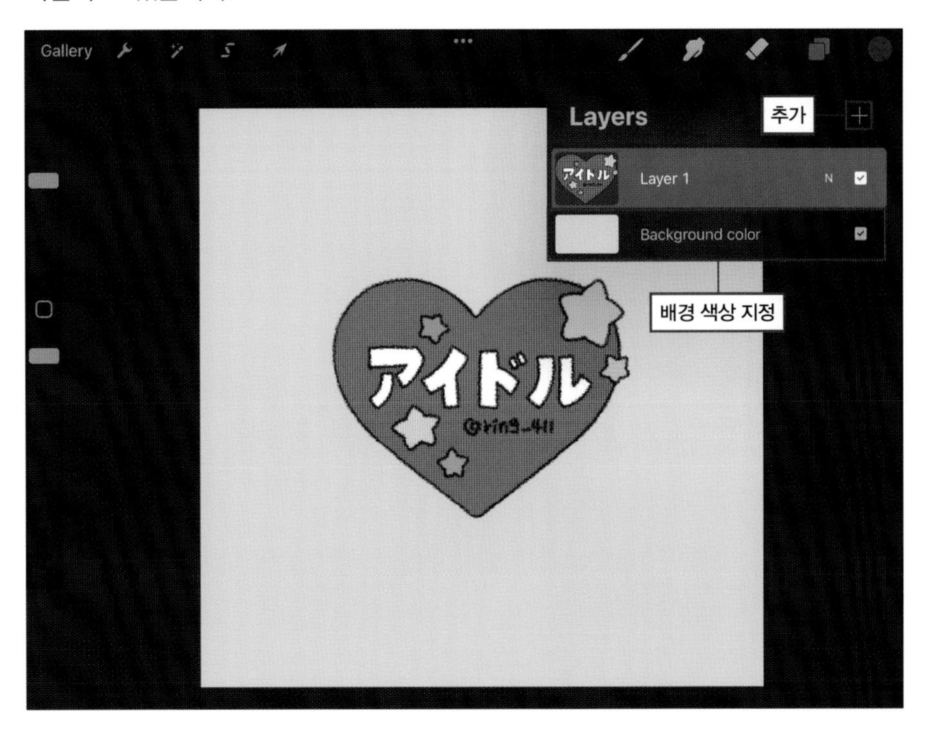


**01** 레이어 끄거나 켜기

레이어의 오른쪽에 있는 체크 박스를 클릭하여 끄거나 켤 수 있습니다.

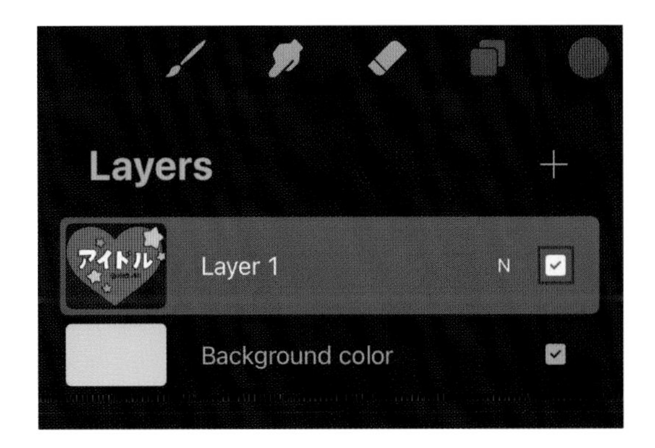

## 02 레이어를 왼쪽으로 쓸기

레이어를 왼쪽으로 드래그하듯 쓸면 복제, 삭제, Lock(레이어 고정) 기능을 사용할 수 있습니다.

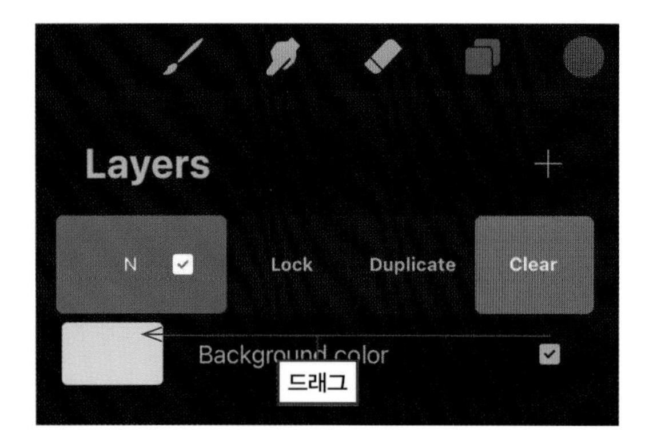


## 03 레이어를 가볍게 한 번 터치

레이어 이름 설정, 선택하기, 복사하기, 채우기, 지우기 등의 기능을 사용할 수 있습니다.

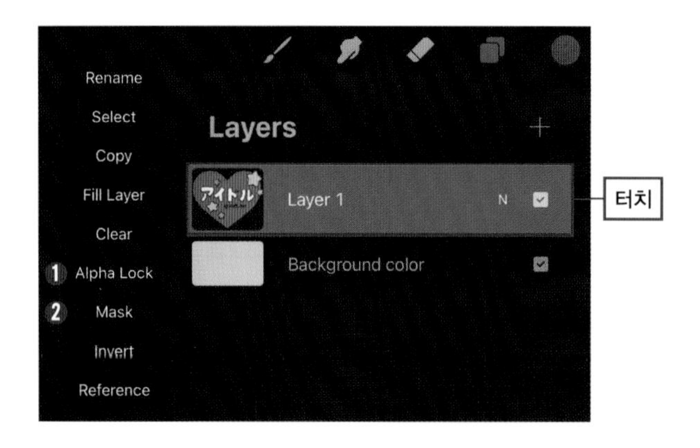


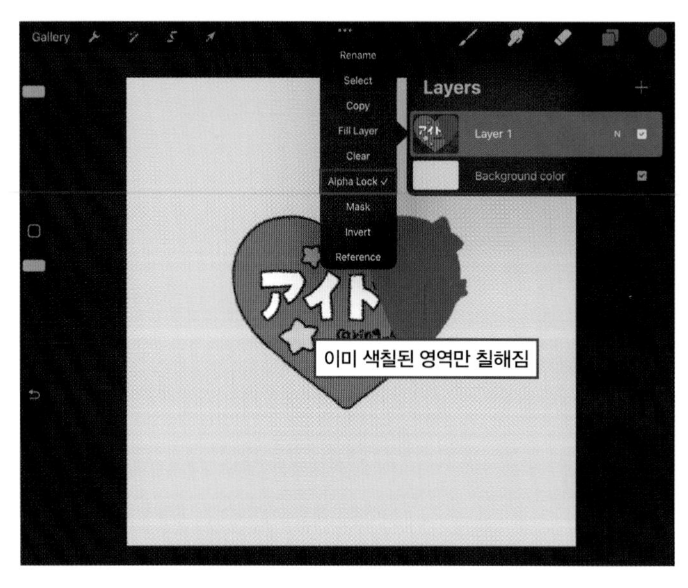


❶ Alpha Lock : 기능을 활성화시키면 이미 채색된 영역 외에는 색칠이 되지 않습니다.

❷ Mask : 선택하면 레이어 위에 마스크가 새로 추가되는데, 이 두 개의 레이어는 세트라고 볼 수 있습니다. 레이어 마스크에서는 검은색과 흰색만 사용 가능합니다. 레이어 마스크에 검은색 브러시를 사용하면 아래 그림이 지워지고 흰색을 사용하면 그림이 다시 나타납니다. Mask는 Alpha Lock과는 다르게 원본 레이어에 영향을 주지 않고 수정이 가능한 기능입니다.

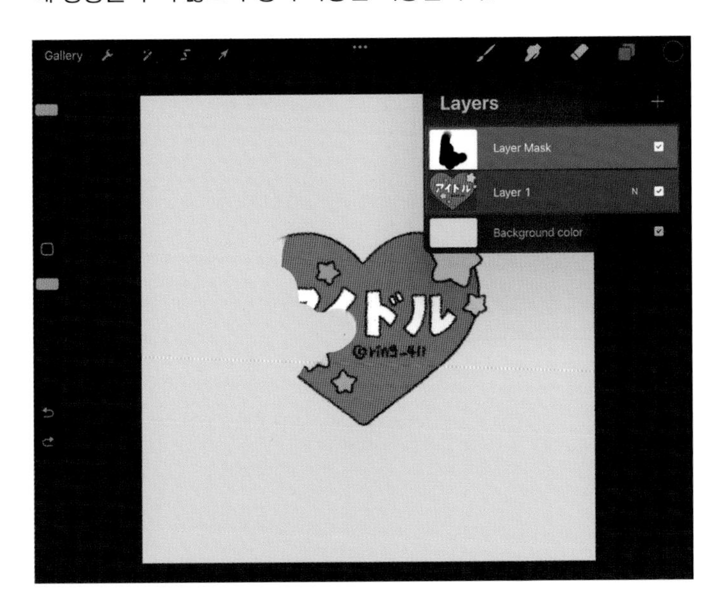


## 04 레이어 그룹화하기

그룹으로 만들고 싶은 레이어를 하나씩 오른쪽으로 드래그하듯 쓸어서 선택하면 위쪽에 [Delete]와 [Group] 버튼이 나타납니다. [Group]을 터치하면 선택했던 레이어들이 한 그룹으로 묶입니다.

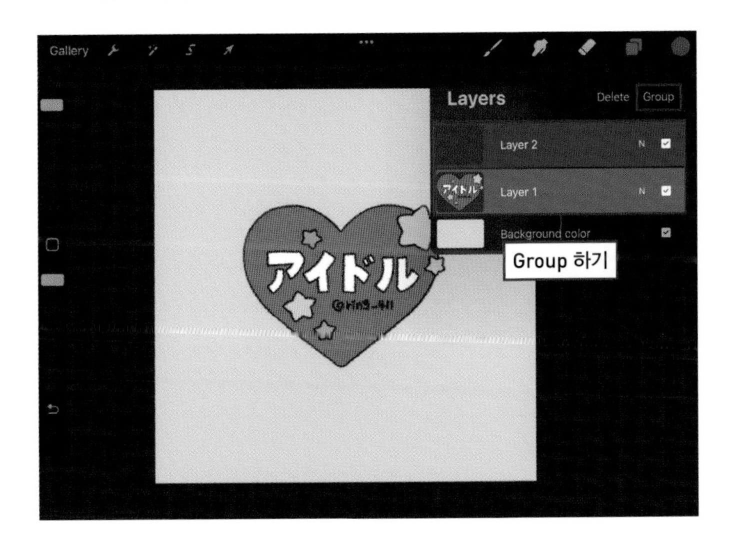

# 작업물 저장하기

[Actions]-[Share]를 차례대로 터치한 후 원하는 양식을 선택하고 [Export]하면 됩니다.

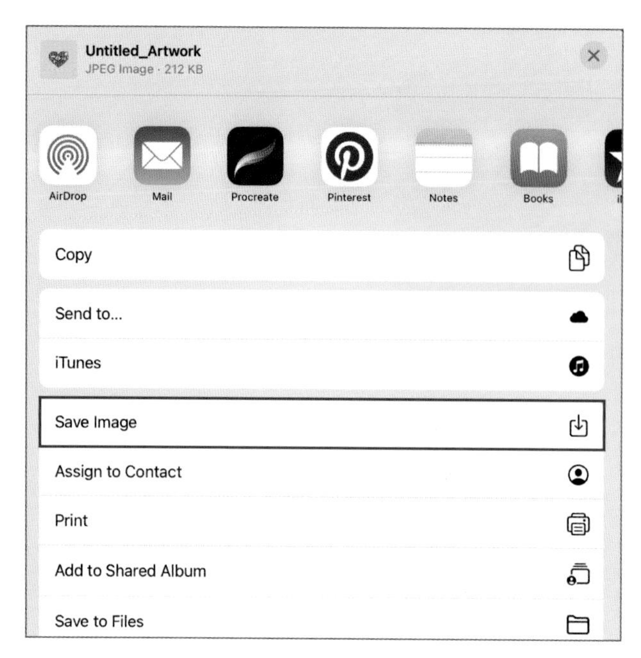


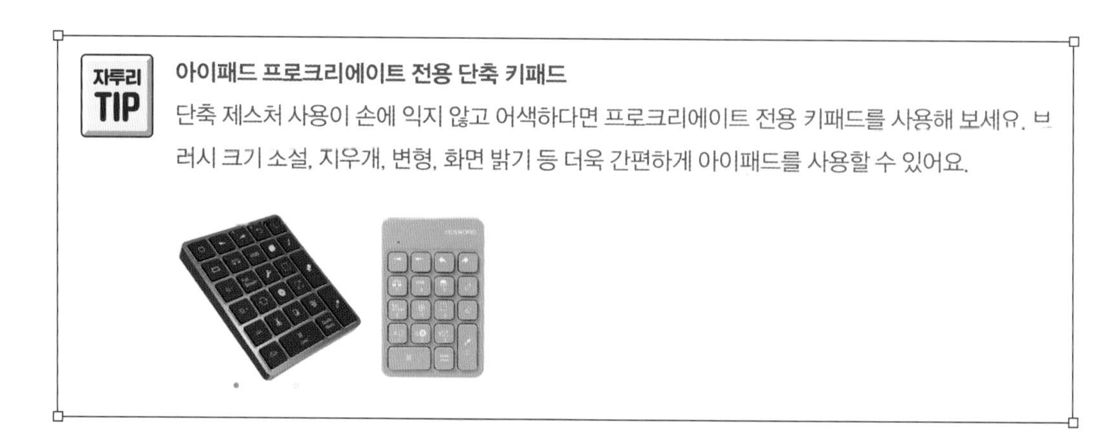

자투리 TIP

**아이패드 프로크리에이트 전용 단축 키패드**

단축 제스처 사용이 손에 익지 않고 어색하다면 프로크리에이트 전용 키패드를 사용해 보세요. 브러시 크기 소설, 지우개, 변형, 화면 밝기 등 더욱 간편하게 아이패드를 사용할 수 있어요.

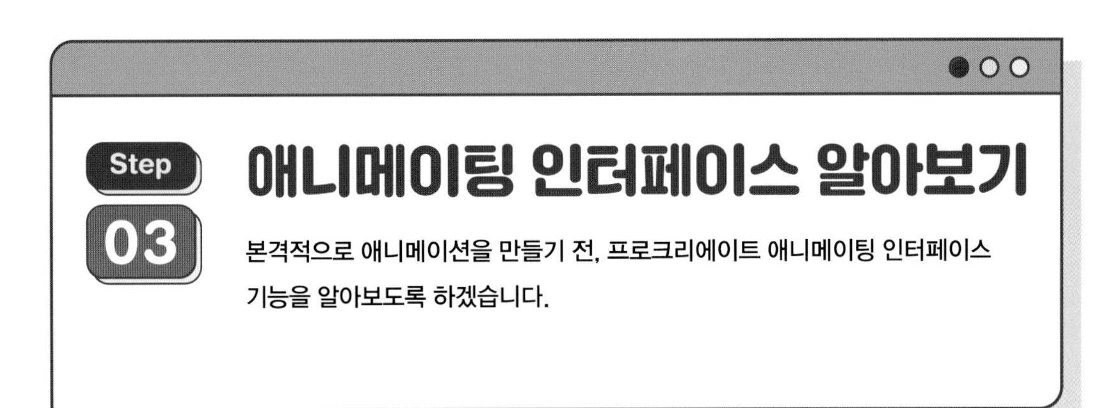

Step 03

# 애니메이팅 인터페이스 알아보기

본격적으로 애니메이션을 만들기 전, 프로크리에이트 애니메이팅 인터페이스 기능을 알아보도록 하겠습니다.

## Animation Assist

좌측 상단의 [Actions]에서 [Canvas]의 [Animation Assist] 버튼을 활성화하면 화면 아래에 타임라인이 생깁니다. 애니메이팅 인터페이스에서는 각 레이어와 각 그룹이 하나의 프레임이 됩니다. 따라서 한 레이어를 선택하면 현재 작업 중인 레이어를 보여 줍니다.

## 타임라인 살펴보기

❶ Play : 작업 중인 애니메이션을 재생합니다.

❷ Pause : Play하면 Pause로 변경됩니다. 일시 정지합니다.

❸ Settings : 다양한 설정 기능이 있습니다.

❸–1 Loop : 반복 재생합니다.

❸–2 Ping–Pong : 부메랑 재생합니다.

❸–3 One Shot : 한 번 재생합니다.

❸–4 Frames Per Second : 일 초당 몇 프레임이 넘어갈지 정합니다.

❸–5 Onion skin frames : 앞뒤 프레임을 흐리게 몇 개까지 보고 싶은지 설정할 수 있습니다. 애니메이팅 할 때 이어지는 동작들을 볼 수 있어 편리합니다.

❸–6 Onion skin opacity : 전후 프레임들의 불투명도를 조절할 수 있습니다. 일반적으로 60%로 사용합니다.

❸–7 Onion skin colors : 앞뒤 보조 프레임을 채색합니다. 앞뒤 프레임의 색을 다르게 지정해서 애니메이팅할 때 헷갈리지 않게 도와줍니다.

❹ Add Frame : 새로운 프레임을 생성합니다.

## Frame options

타임라인에 있는 프레임을 터치하면 [Frame options] 메뉴가 나타납니다.

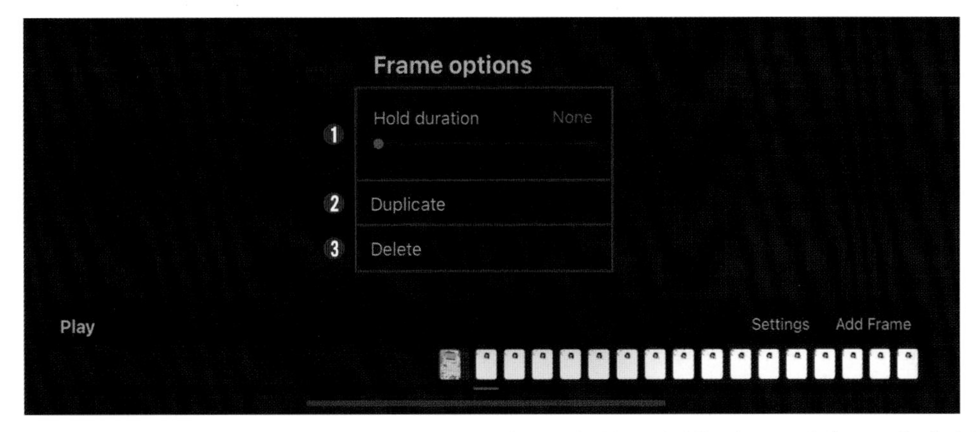


❶ Hold duration : 유지 지속 시간을 조절할 수 있습니다. 한 프레임을 다른 프레임들 보다 길게 유지하고 싶을 때 사용합니다.

❷ Duplicate : 복제합니다.

❸ Delete : 삭제합니다.

## 배경 및 전경 고정

타임라인 맨 앞에 있는 프레임은 한 번 터치하면 Background 버튼을 눌러 배경으로 고정하는 것이 가능합니다. 마찬가지로 가장 마지막에 있는 프레임은 Foreground, 전경으로 고정이 가능합니다.

레이어의 경우 맨 아래 레이어가 배경인 프레임이고 가장 위의 레이어가 전경 프레임이 됩니다. 이 기능이 편리한 이유는 움직이지 않는 부분을 배경/전경 기능이 고정을 해준다는 것입니다.

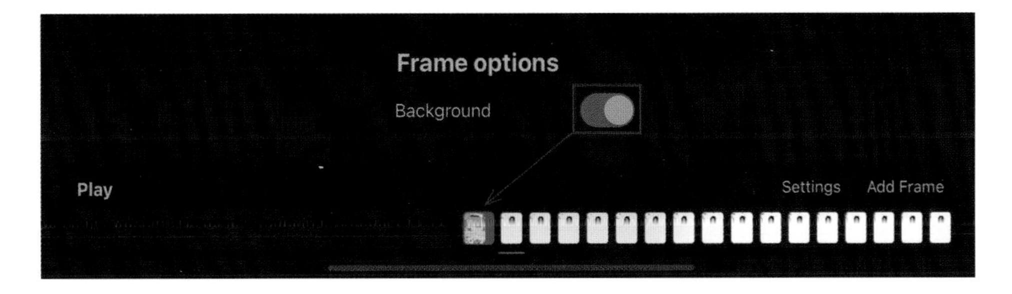

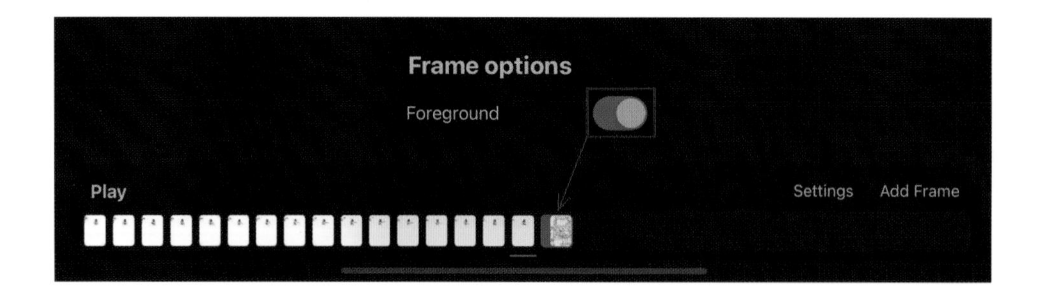


## Animation Assist Layer

앞서 설명한 레이어 그룹은 애니메이팅 작업을 할 때 상당히 도움이 되는 기능입니다. 그림과 같이 그룹 안에 선화 레이어, 채색 레이어 등을 묶어서 작업하면 추후 수정이나 편집을 훨씬 깔끔하게 할 수 있습니다. 이 그룹은 한 프레임입니다.

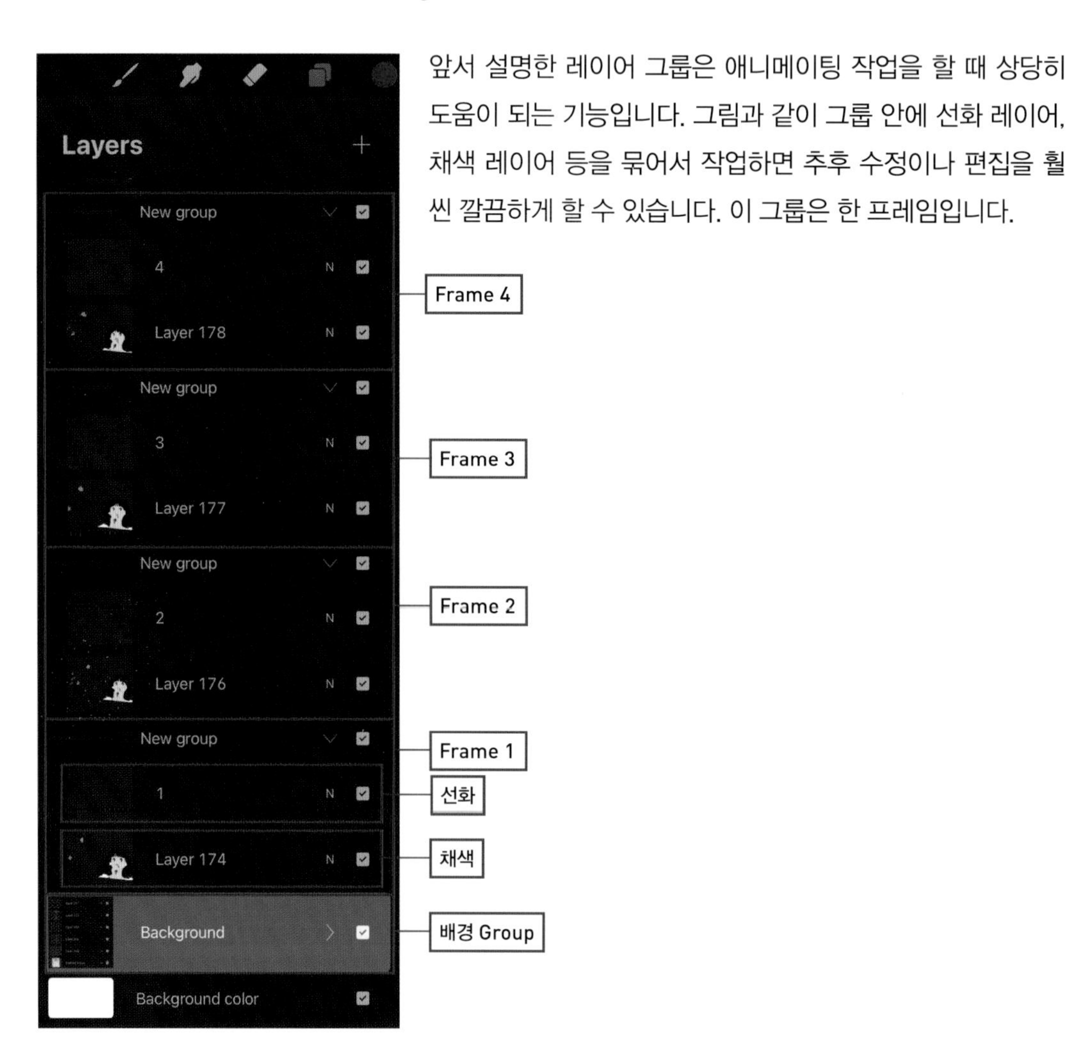

## Animation 저장하기

애니메이션 저장은 일반 저장과 같이 [Actions]의 [Share]에서 Animated GIF, PNG, MP4, HEVC 중 원하는 형식을 선택한 후 [Export] 하면 됩니다.

❶ Max Resolution : 최대 해상도로 표현합니다.

❷ Web Ready : 작은 웹 사이즈입니다. 참고로 화질과 이미지가 많이 깨져 추천하지 않습니다.

❸ Dithering : Gif 저장 시 나타나는 옵션입니다. Gif는 256색으로 일러스트의 색감을 압축한 웹용 이미지이기 때문에 용량이 비교적 작은 대신 색상이 탁해지는 경우가 많습니다. Dithering 옵션을 켜면 제한된 색상 안에서 가장 원본과 가깝고 자연스럽게 표현해 줍니다.

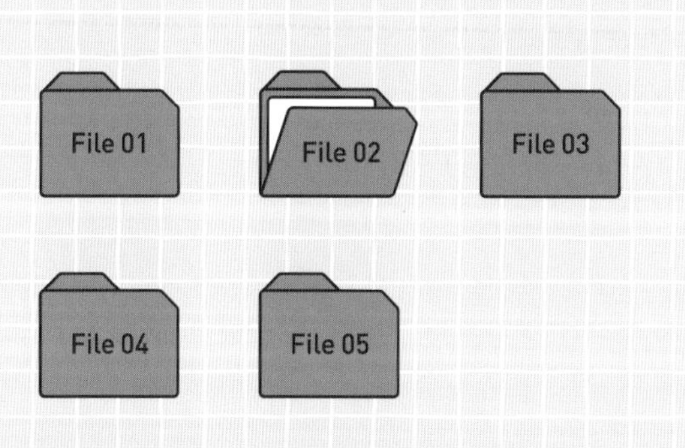
File 01
File 02
File 03
File 04
File 05

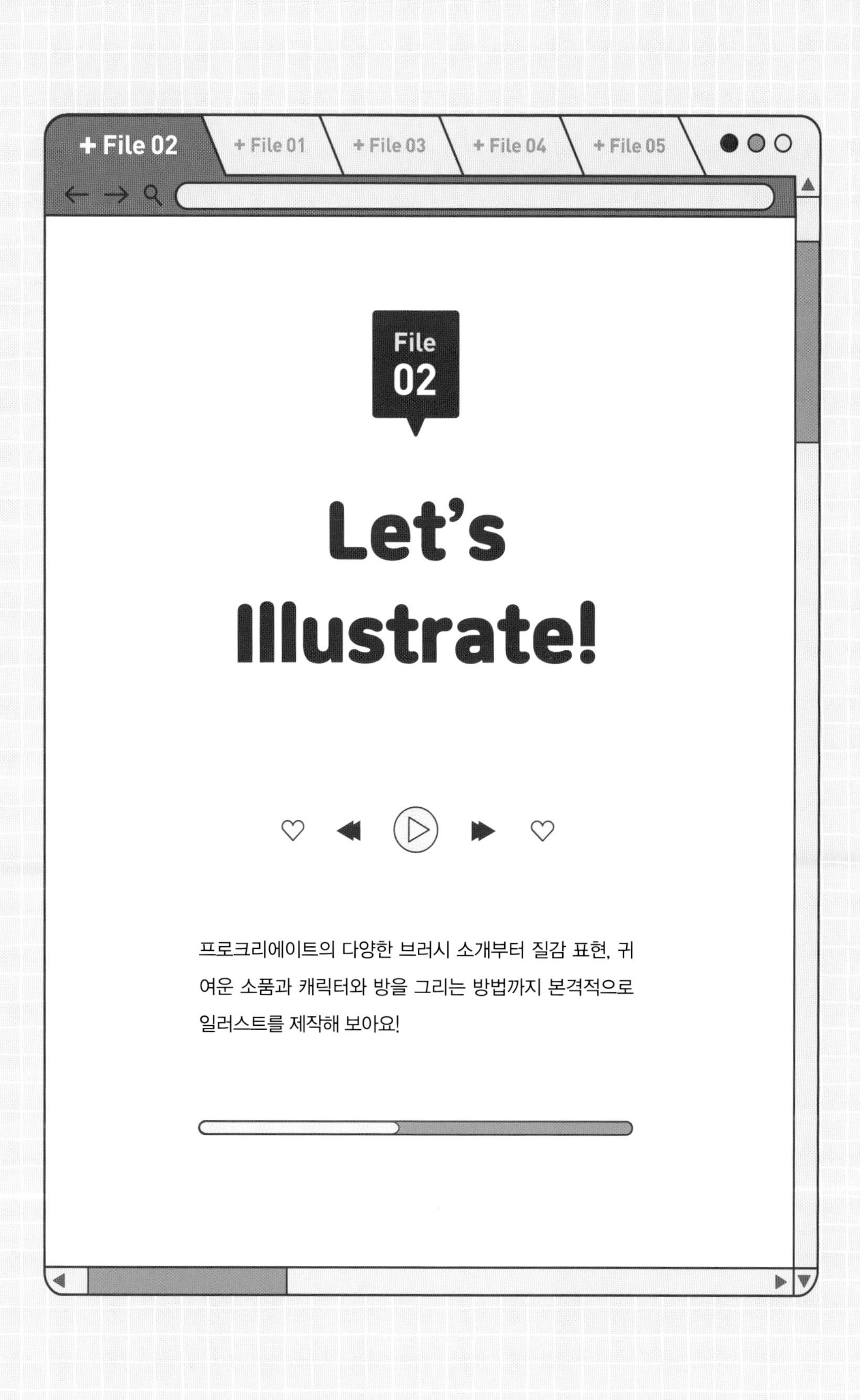


# Let's Illustrate!

프로크리에이트의 다양한 브러시 소개부터 질감 표현, 귀여운 소품과 캐릭터와 방을 그리는 방법까지 본격적으로 일러스트를 제작해 보아요!

01

# 프로크리에이트 브러시

프로크리에이트는 다양한 종류의 브러시를 제공하고 있습니다. 여기서는 기본 브러시의 사용법과 브러시를 다운로드하는 방법을 알아보아요.

## 기본 브러시

프로크리에이트에는 기본으로 내장되어 있는 18가지 카테고리의 브러시가 있습니다. 각각 브러시 카테고리 안에는 여러 종류의 브러시가 있습니다.

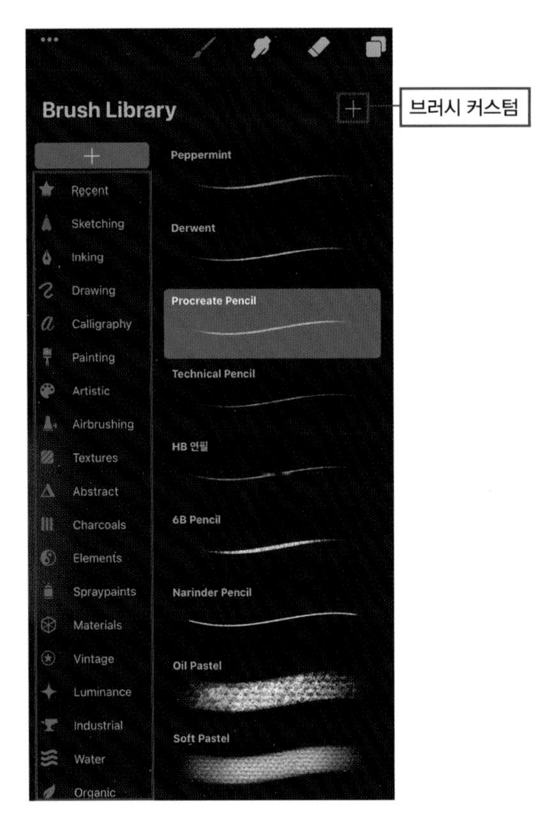

Sketching 카테고리의 브러시를 살펴보도록 하겠습니다. 필압을 이용해 애플 펜슬을 눕혀서 그리면 같은 펜으로 다양한 효과를 낼 수 있습니다.

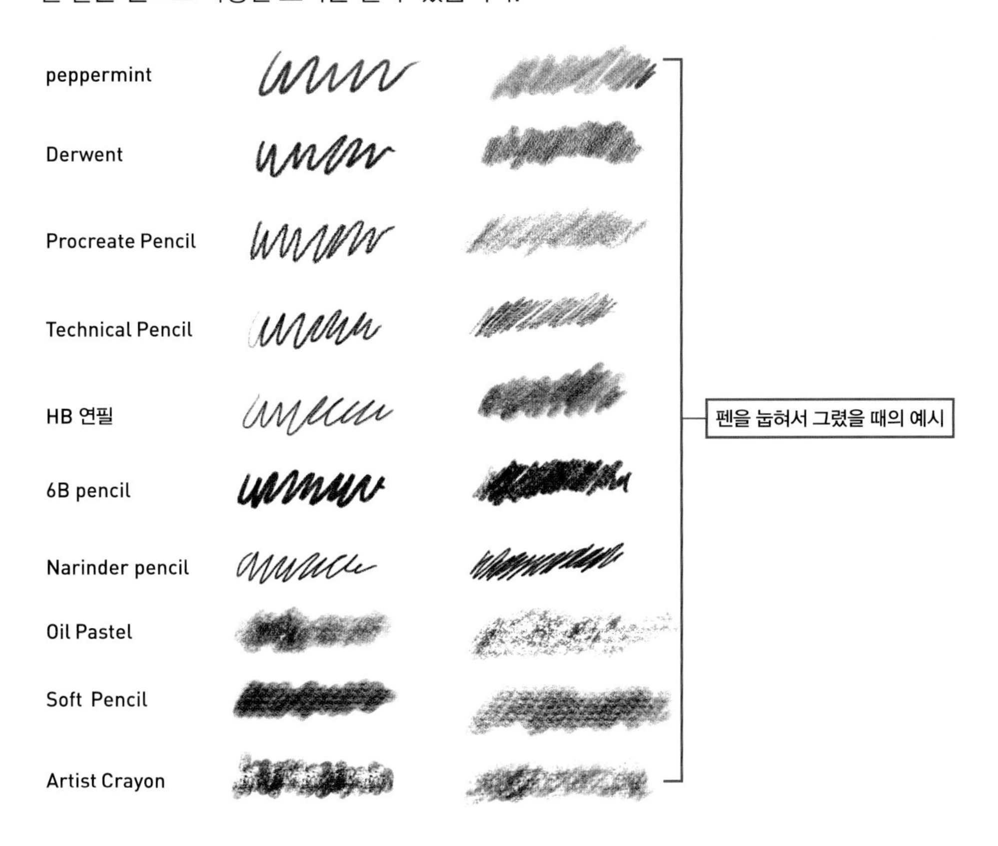


## 자주 사용하는 브러시

아래 4가지는 제가 자주 사용하는 브러시입니다.

❶ [Sketching]–[Procreate Pencil]

❷ [Painting]–[Spectra]

❸ [Airbrushing]–[Hard Airbrush]

❹ [Imported]–[Bonobo Chalk](다운로드 브러시 파일 첨부)

아이콘부터 일러스트까지 4가지 브러시만으로도 색다른 느낌의 그림을 그릴 수 있습니다.

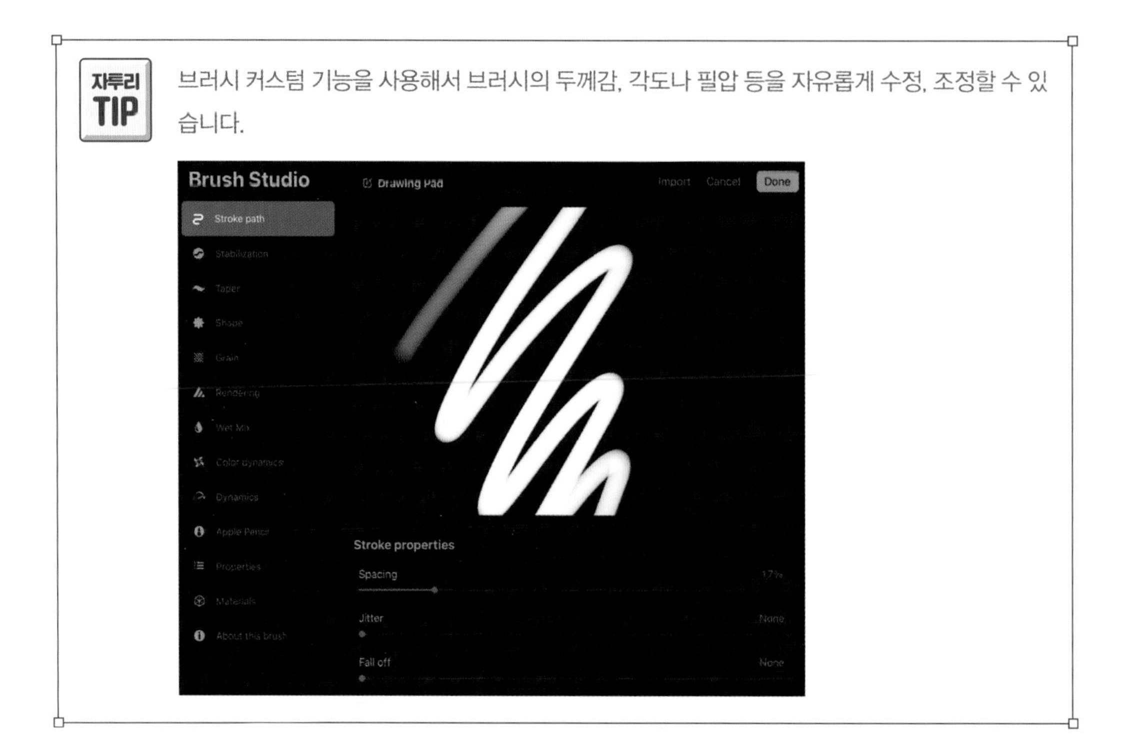

자투리 TIP 브러시 커스텀 기능을 사용해서 브러시의 두께감, 각도나 필압 등을 자유롭게 수정, 조정할 수 있습니다.

## 브러시 다운로드받기

프로크리에이트에서 제공하는 기본 브러시를 활용해서 높은 퀄리티의 그림을 그릴 수 있지만, 기본 브러시 이외 다른 질감이나 배경 브러시를 쓰고 싶다면 다운로드받아 사용할 수 있어요. 여기서는 프로크리에이트에서 브러시를 다운로드받는 법 중 쉽게 따라 할 수 있는 방법을 배워 보도록 해요.

**01** 갤러리의 [Actions]에서 [Help]–[Support]를 차례로 터치합니다.

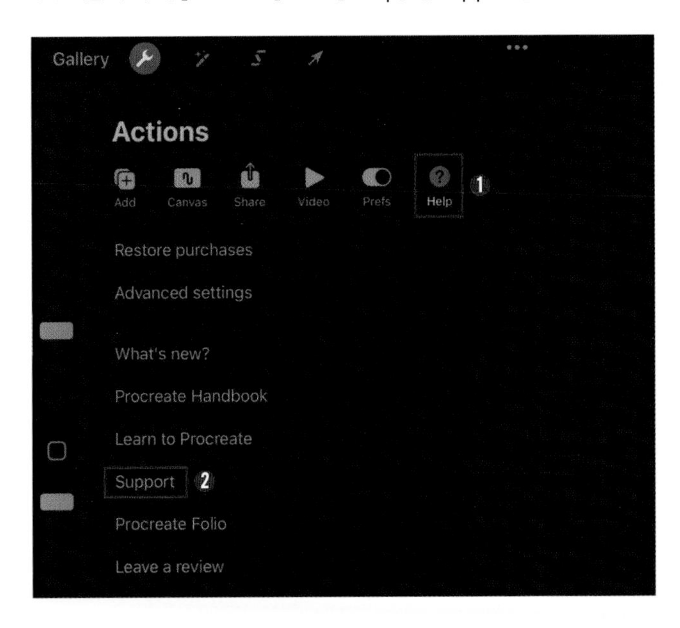


**02** 사이트가 나타나면 [EXPLORE]에서 [Community]를 터치합니다.

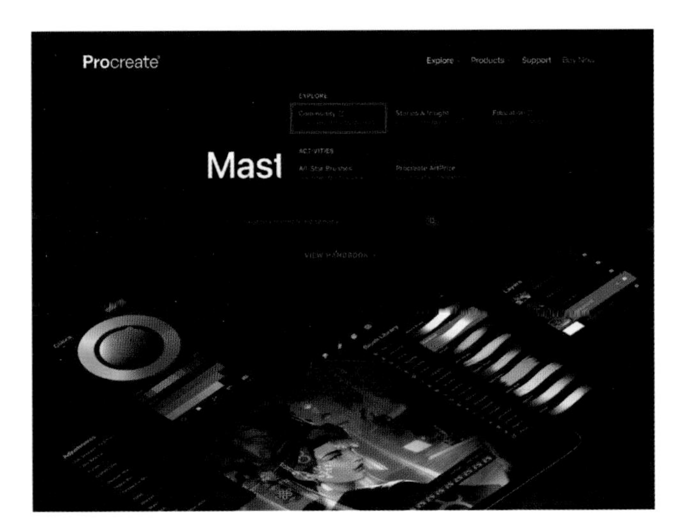

**03** [Discussions]를 선택한 후 아래로 스크롤합니다. 여러 사람이 무료/유료로 공유하는 프로크리에이트 관련 브러시와 종이 질감을 다운로드받을 수 있습니다.

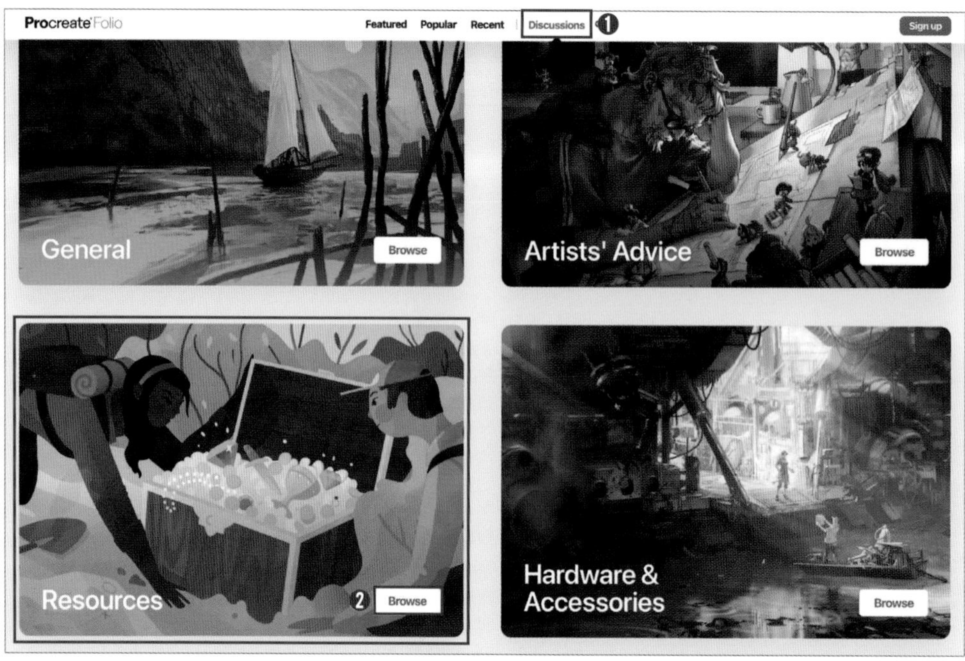


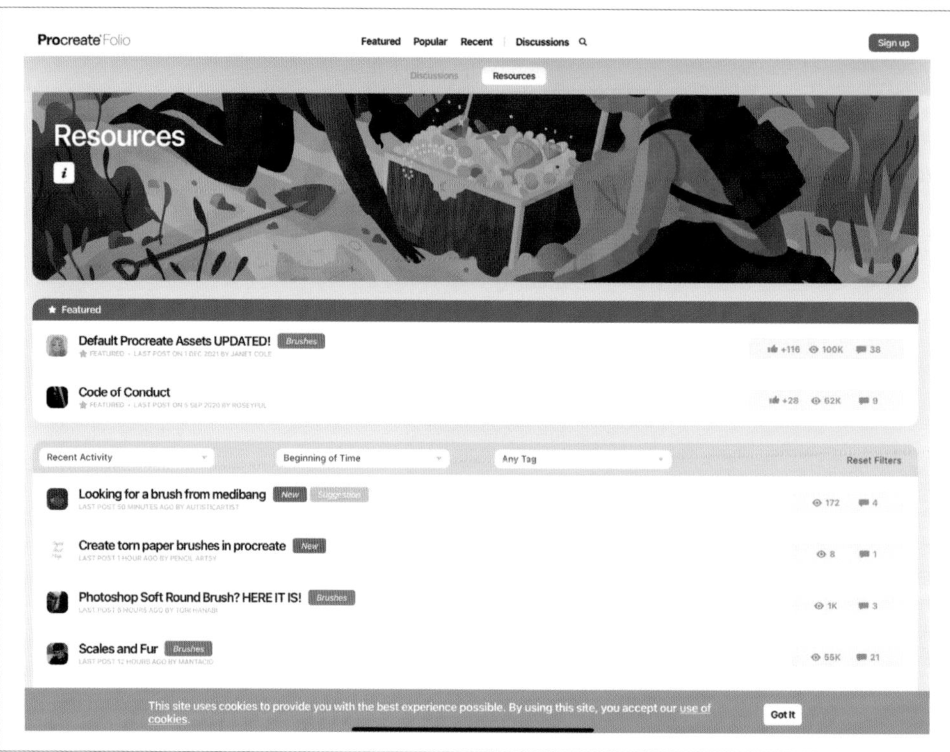

# 여러 가지 질감을 표현하는 브러시

질감이란 물체의 표면이 주는 시각적/촉각적 감각으로, 물체를 보았을 때 표면이 주는 딱딱하다, 부드럽다, 매끄럽다 등의 느낌을 말합니다. 여기서는 다양한 질감을 표현하는 브러시를 알아보아요.

## 포슬포슬한 질감 표현 브러시

[Imported]–[Bonobo Chalk]는 포슬포슬한 느낌의 질감을 살려줍니다.

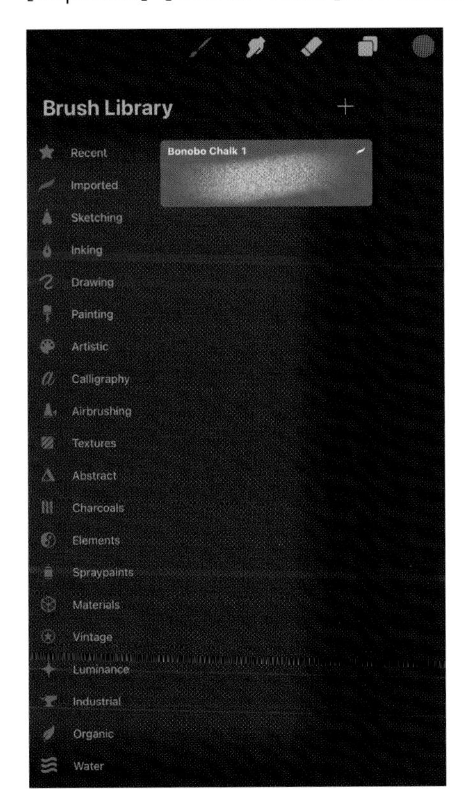

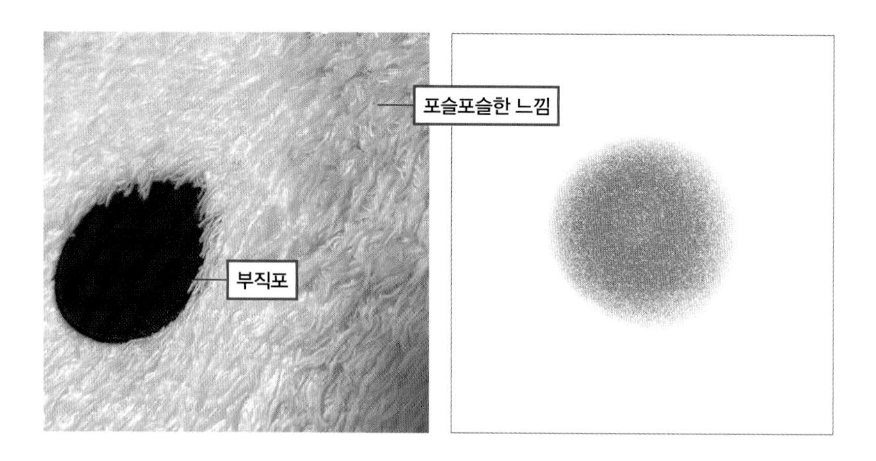


## 플라스틱 질감 표현 브러시

플라스틱 재질의 물건을 그릴 때는 [Airbrushing]-[Hard Airbrush]를 사용합니다. 브러시를 이용하여 플라스틱의 매끄러운 하이라이트를 잘 관찰해서 표현하도록 합니다.

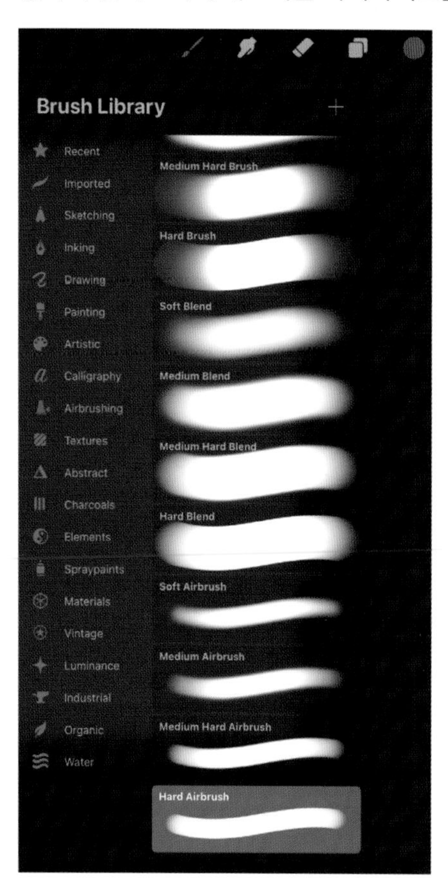

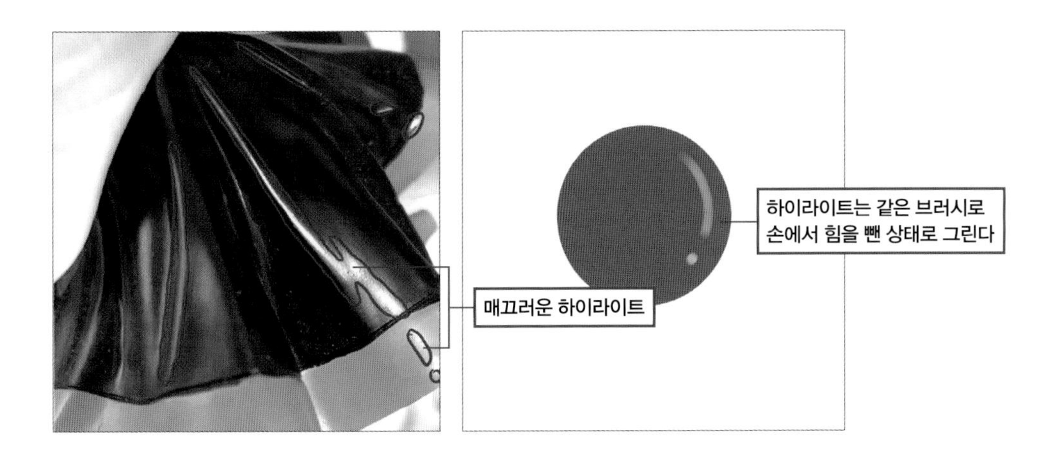


## 금속 질감 표현 브러시

금속은 플라스틱과 매끄러운 표면이 비슷하기 때문에 [Airbrushing]-[Hard Airbrush]를 사용하되, 그림자와 하이라이트를 넣을 때는 [Soft Airbrush]를 함께 활용합니다. 금속의 그림자는 어두운색으로, 하이라이트는 밝은색으로 확실한 대비를 주어야 합니다.

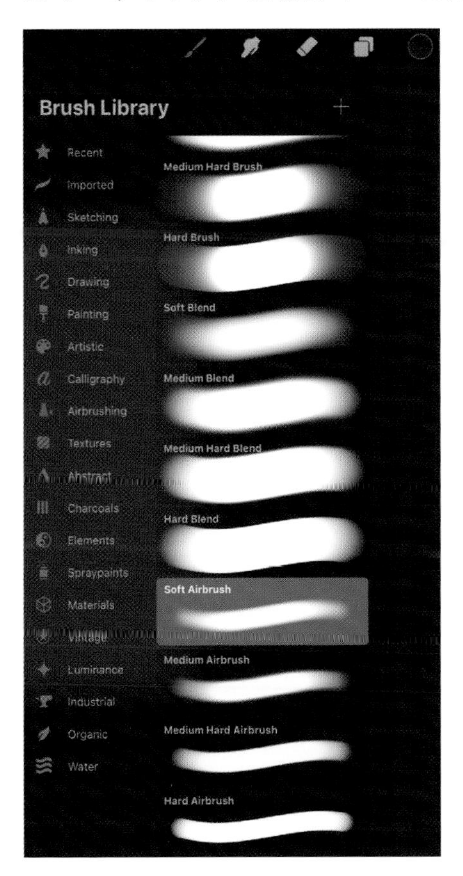

## 면 재질 표현 브러시

면의 색은 [Airbrushing]–[Hard Airbrush]를 사용합니다. [Painting]–[Spectra]로 면의 빛이 반사되는 재질을 표현합니다.

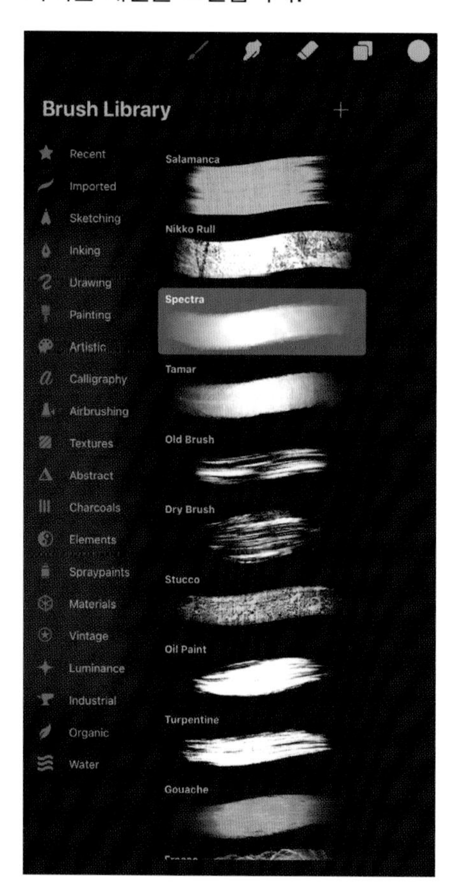

자투리 TIP

여기서 소개한 브러시 이외에도 여러 가지 활용이 가능한 브러시가 많습니다. 테스트하면서 본인에게 잘 맞는 브러시를 찾아보세요.

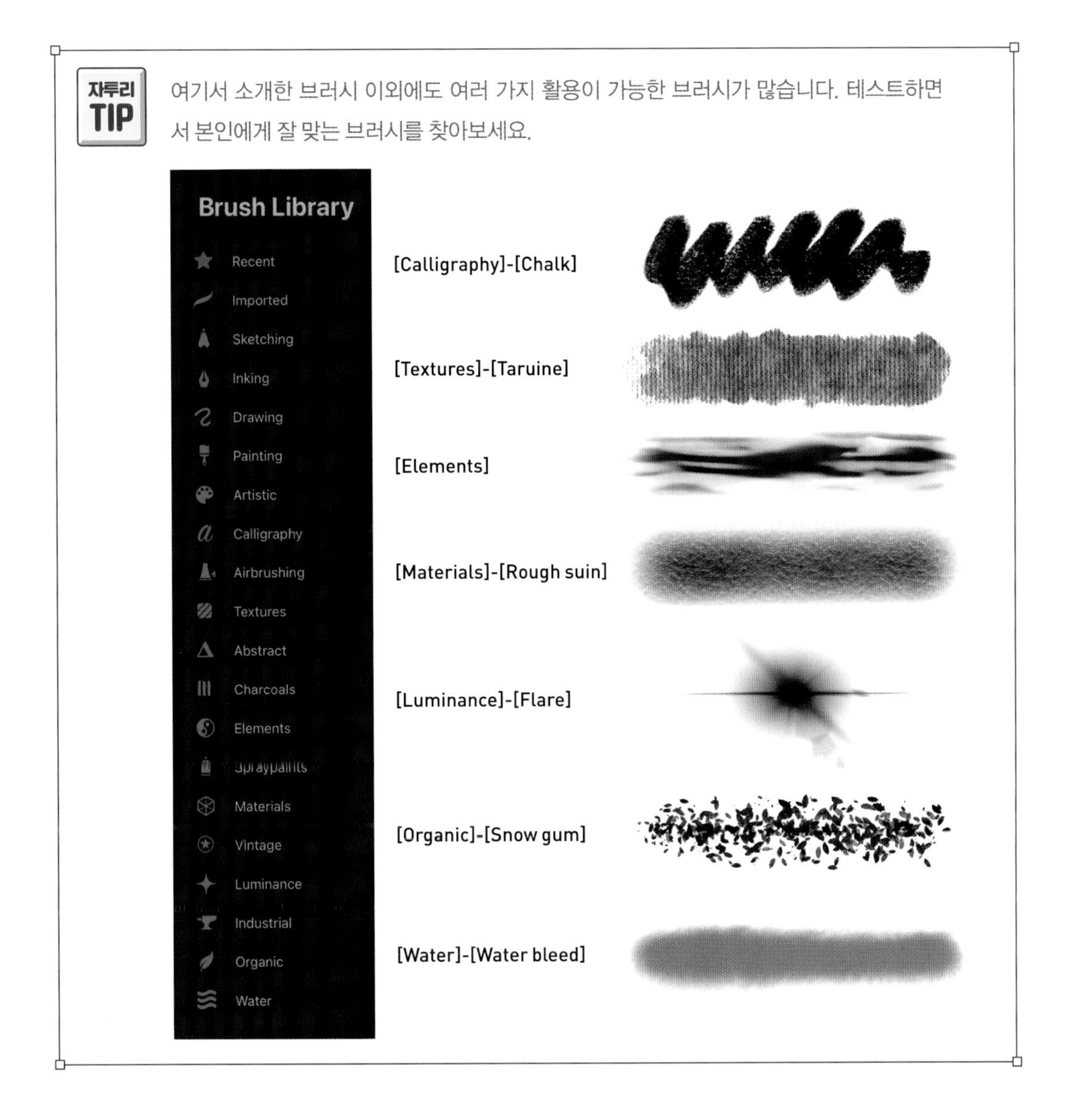

03

# 소품 그리기

그림을 그릴 때는 형태를 잡는 러프 스케치 후 선화를 따고 채색을 하는 순서로 이루어져요. 여기서는 작은 소품을 그리며 그림을 그리는 기초 과정을 배워보아요.

## 인형: 포슬포슬한 느낌 표현하기

### 토끼 인형 쿠션

**01** 캔버스 사이즈를 지정합니다.

- Width : 1080 PX
- Height : 1080 PX
- DPI : 500 (해상도에 따라 Maximum Layers의 수가 달라집니다)

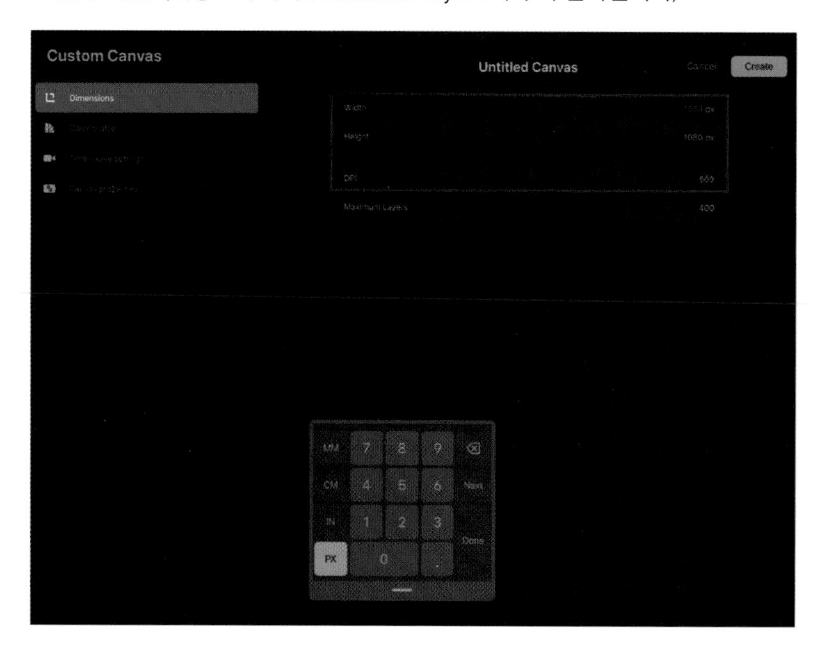

**02** 캔버스 생성이 완료되면 이미지와 같이 화면이 보입니다.

**03** [Sketching]–[Procreate Pencil]을 선택한 후 사이즈를 20%로 설정합니다. 상상한 인형의 러프 스케치를 합니다.

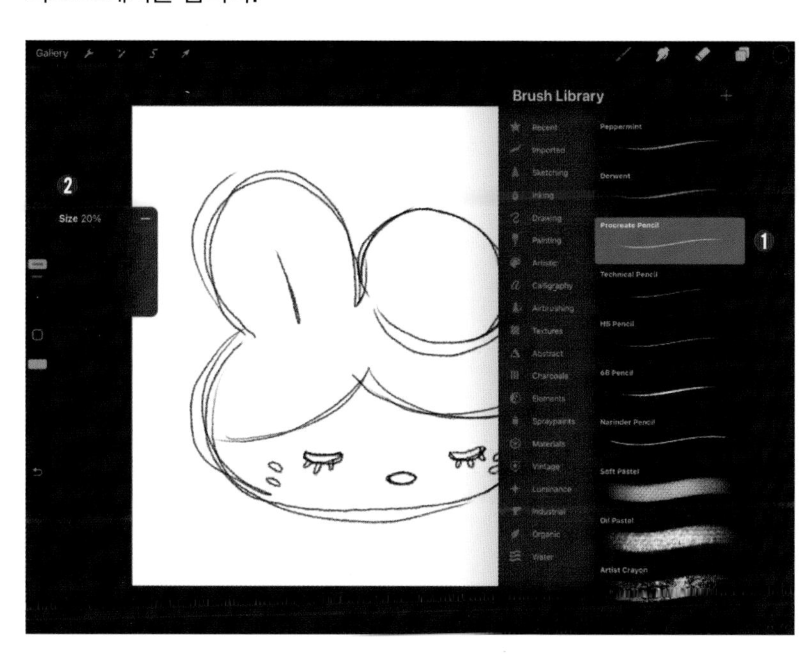

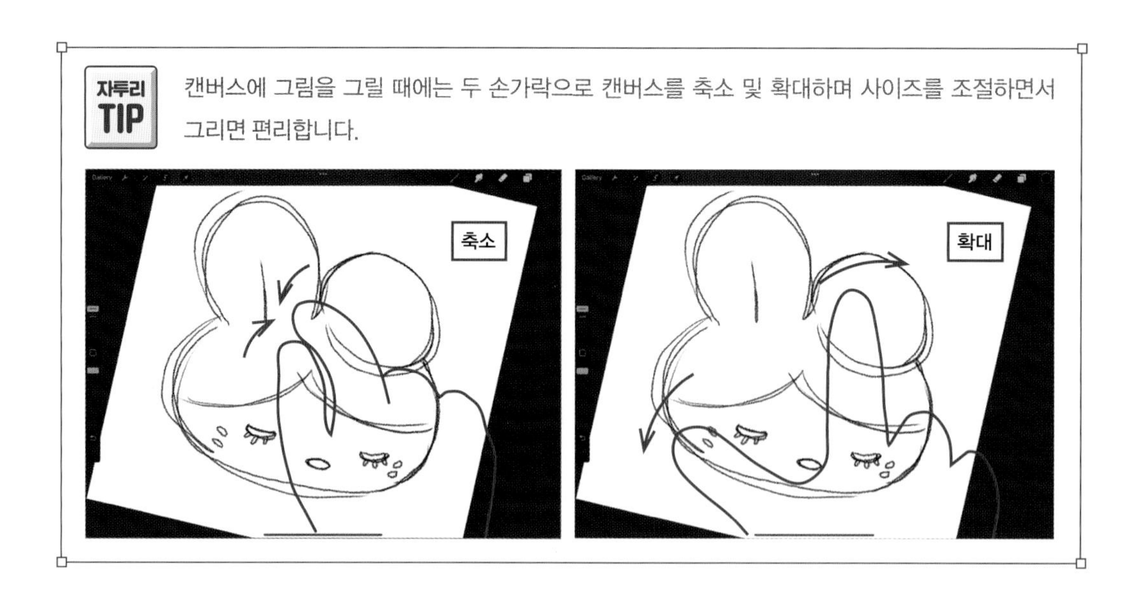


**자투리 TIP** 캔버스에 그림을 그릴 때에는 두 손가락으로 캔버스를 축소 및 확대하며 사이즈를 조절하면서 그리면 편리합니다.

**04** [Layers 추가](■) 버튼을 터치하여 새로운 레이어를 만듭니다. 스케치를 따기 위해 러프 스케치 레이어의 [Opacity]는 [25%]로 낮춥니다.

**05** 부드러운 곡선을 그려야 할 때는 대략적으로 곡선을 그리고 홀드하면 위의 [Edit Arc] 기능이 뜨면서 자동으로 깔끔한 곡선이 생성됩니다. 곡선이 만들어지면 3개의 점이 뜹니다. 이 점으로 곡선을 조절하면서 수정할 수 있습니다.

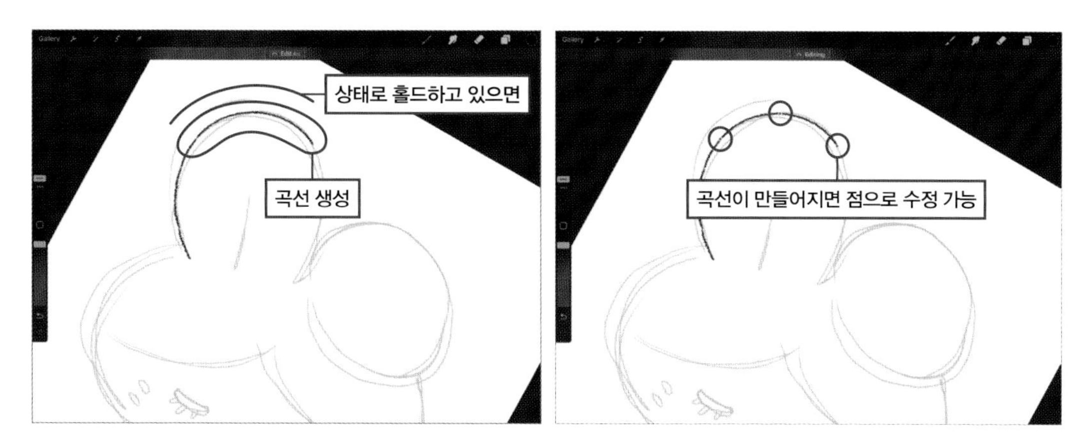


**06** 같은 방식으로 원도 대략적으로 그려 홀드하면 상단에 [Edit Ellipse] 기능이 뜨면서 깔끔한 원이 만들어집니다.

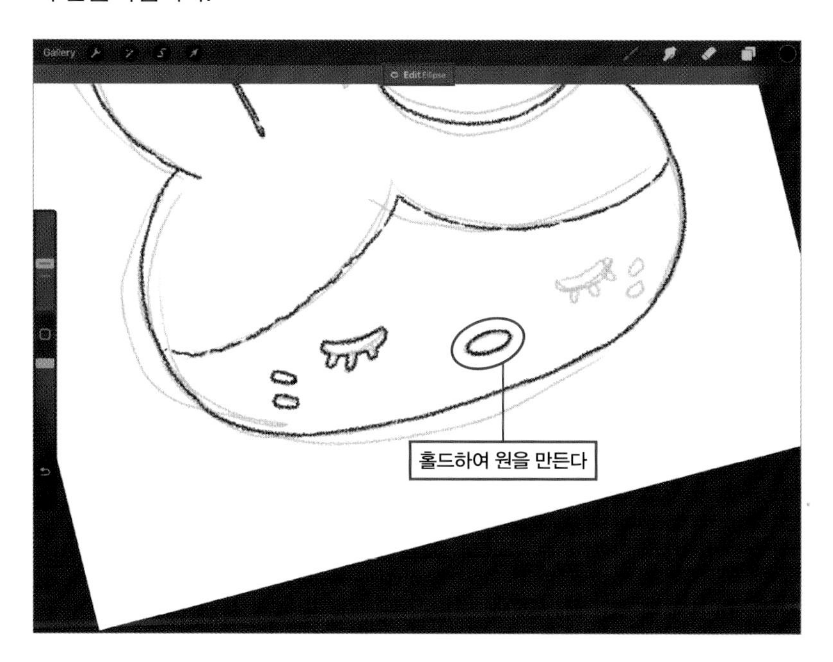

**도형 그리고 채색하기**

도형을 만들 때 대략 원하는 모양의 도형 형태를 잡은 후 그대로 애플 펜슬을 화면에서 떼지 않고 홀드하면 도형이 생성됩니다. 상단에 뜨는 [Edit] 메뉴에서 자유롭게 편집할 수 있습니다. 원, 삼각형, 사각형, 직선, 곡선 모두 이렇게 기본 모양을 만들고 홀드하면 됩니다.

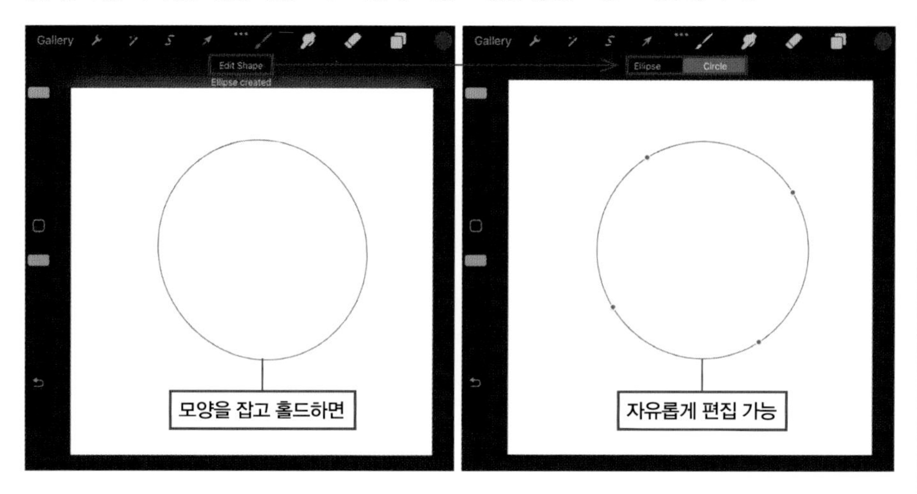


우측의 [채색] 버튼을 애플 팬슬로 꾹 누른 상태로 채우고 싶은 부분까지 드래그하면 색이 채워집니다.

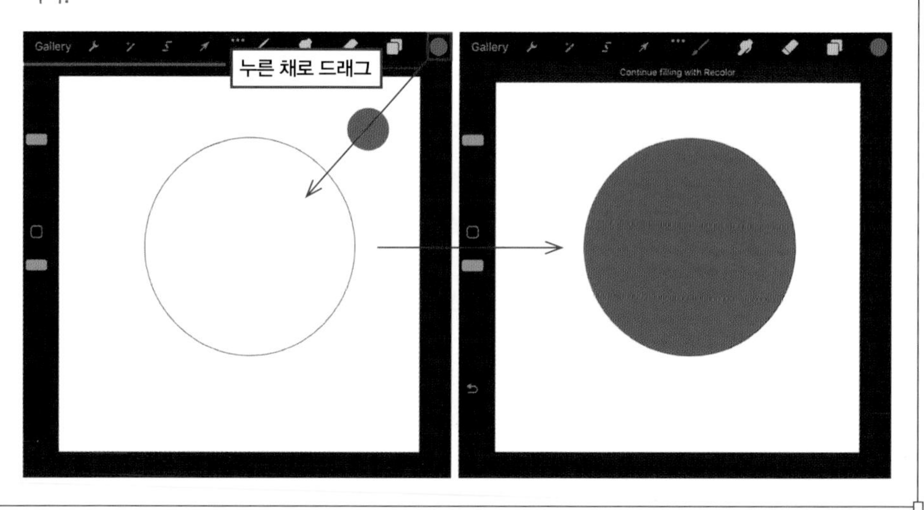

**07** 선화 스케치를 완성하였습니다.

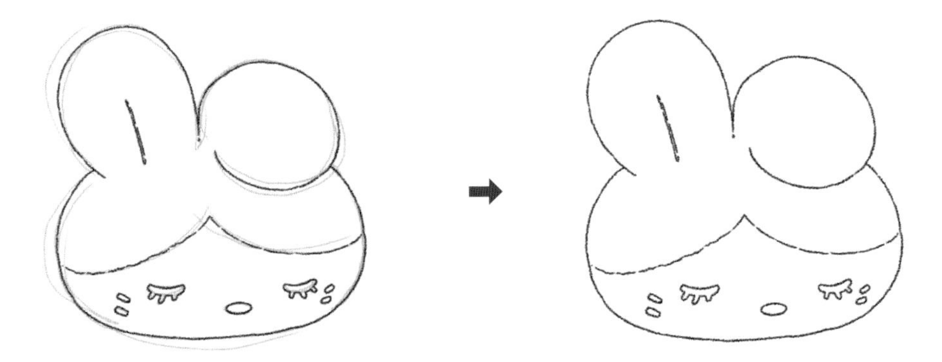

**08** [Layers 추가](+) 버튼을 터치하여 러프 스케치 위에 채색을 위한 새로운 레이어를 만듭니다. 먼저, 채색 전에 캔버스의 배경화면을 지정하기 위해 [Background Color]를 터치합니다.

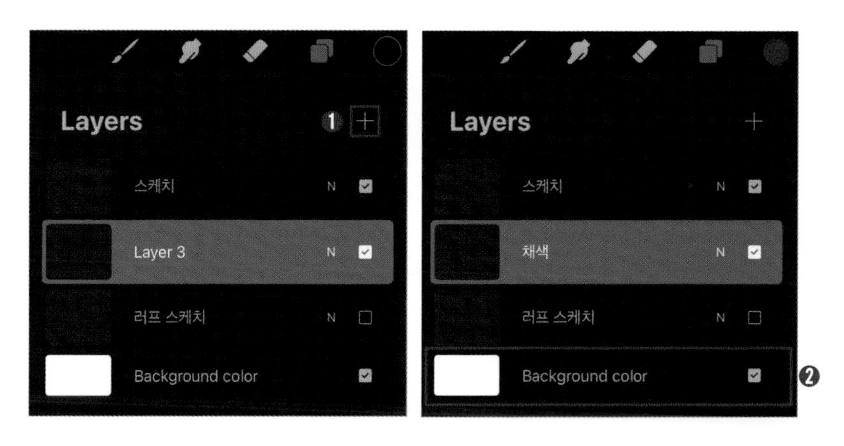


**09** [Background] 팔레트에서 원하는 배경색을 터치합니다.

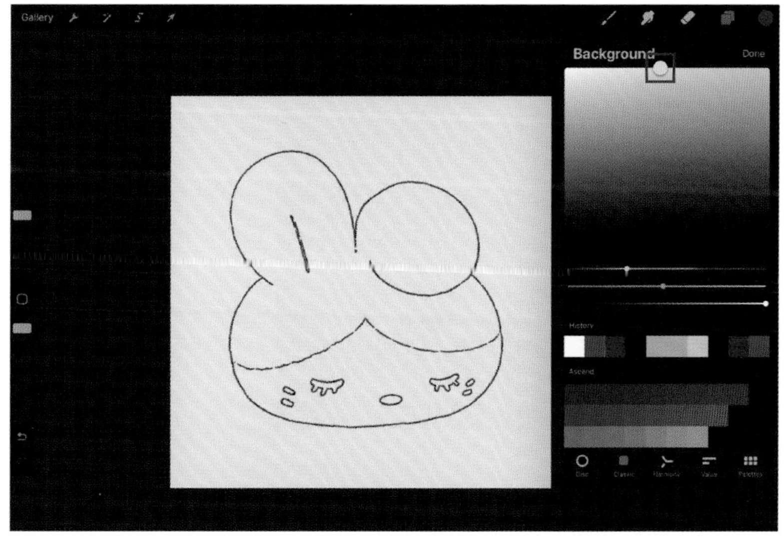

**10** [채색] 레이어를 선택합니다. 오른쪽 상단의 브러시 메뉴에서 [Airbrushing]-[Hard Airbrush]를 이용해 흰색으로 아래와 같이 채색합니다. [채색] 레이어를 터치한 후 칠한 영역 외에는 색이 칠해지지 않는 기능인 [Alpha Lock]을 터치하여 체크합니다.

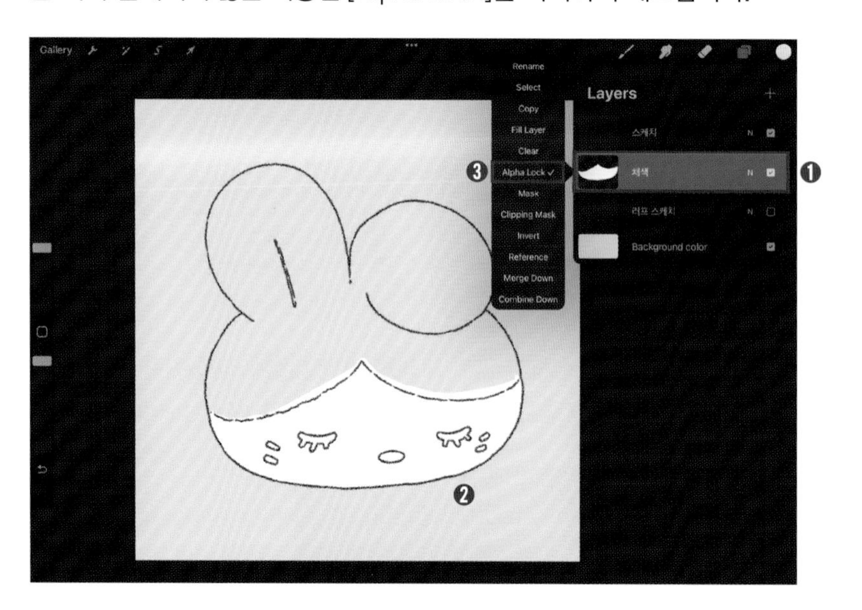


**11** [Airbrushing]-[Hard Airbrush]에서 [Imported]-[Bonobo Chalk] 브러시, 사이즈 25%로 바꿉니다. 하얀색보다 조금 더 어두운색을 선택합니다.

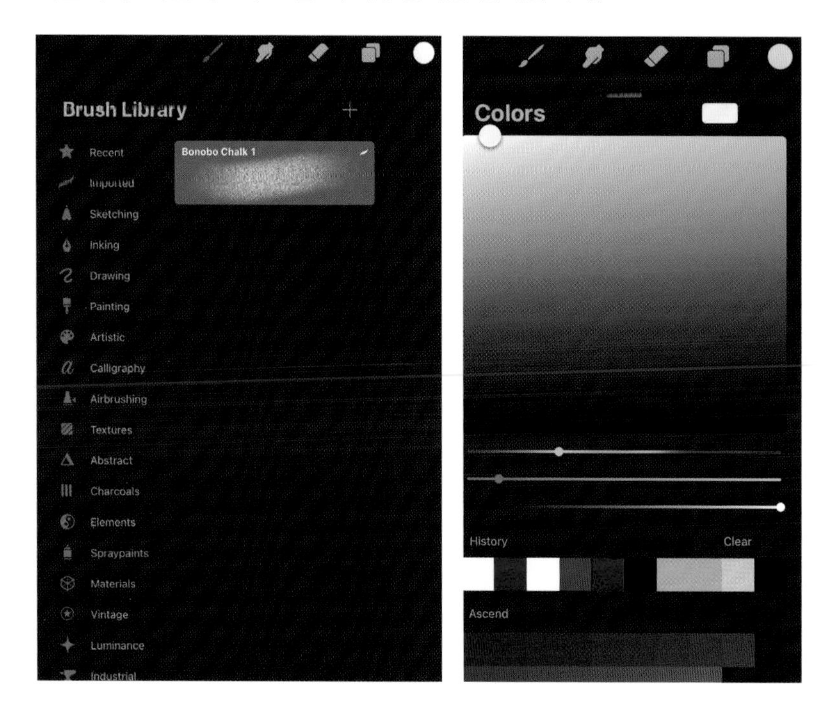

**12** 이미 칠한 하얀 부분에 칠해줍니다. 미미하게 포슬포슬한 느낌을 주는 질감을 넣는 작업입니다.

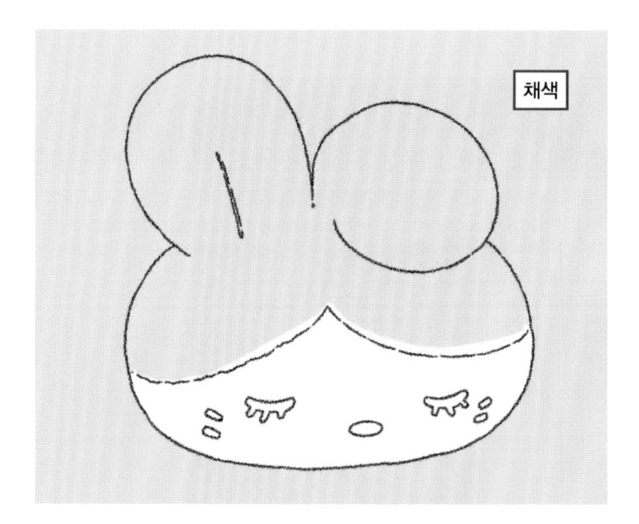


**13** 인형의 흰색 부분을 칠한 레이어 위에 레이어를 새로 만듭니다. 토끼 귀 부분을 분홍색으로 칠하기 위해 [Colors]에서 분홍색을 선택합니다.

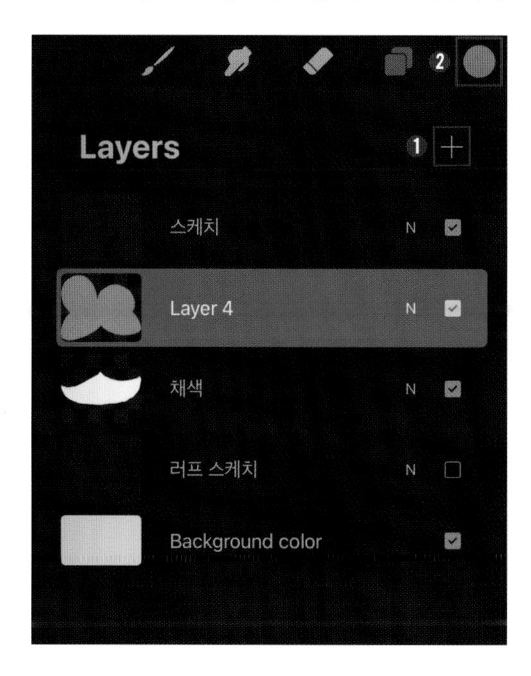

**14** 귀를 칠한 부분은 흰색 부분을 칠한 것과 동일하게 [Imported]-[Bonobo Chalk] 브러시를 사이즈 25%로 변경한 후 채색합니다.

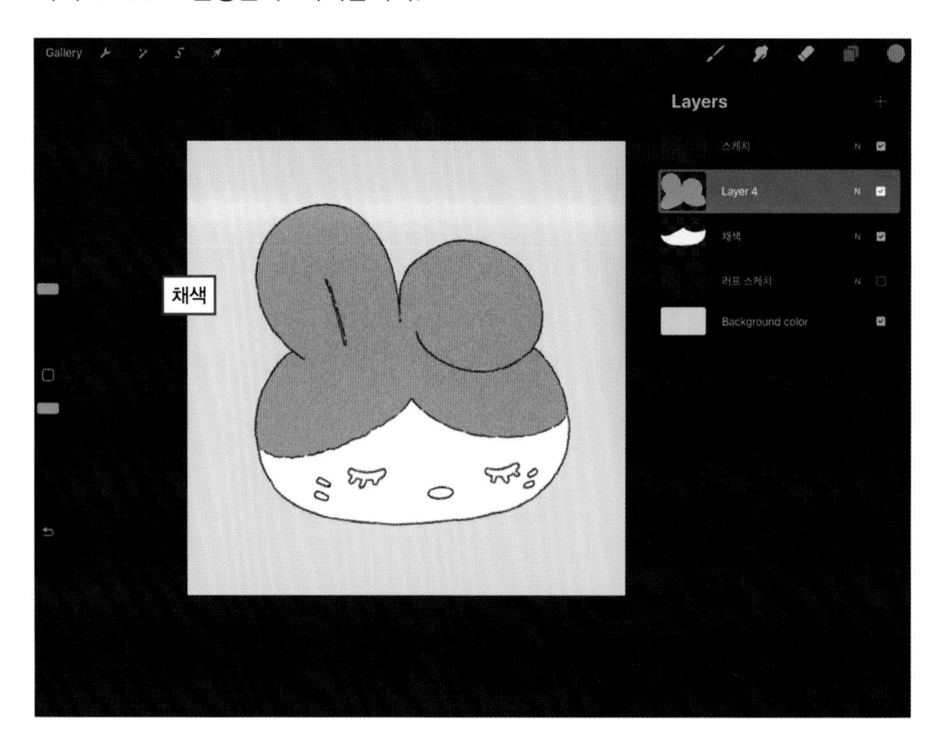


**15** 채색한 인형의 흰색 부분과 분홍 토끼 귀의 레이어를 합치기 위해 [Layer 4]를 터치한 다음 [Alpha Lock]을 터치합니다. 이후 다시 한 번 터치하여 [Merge Down]을 선택합니다. 두 레이어가 한 레이어로 합쳐집니다.

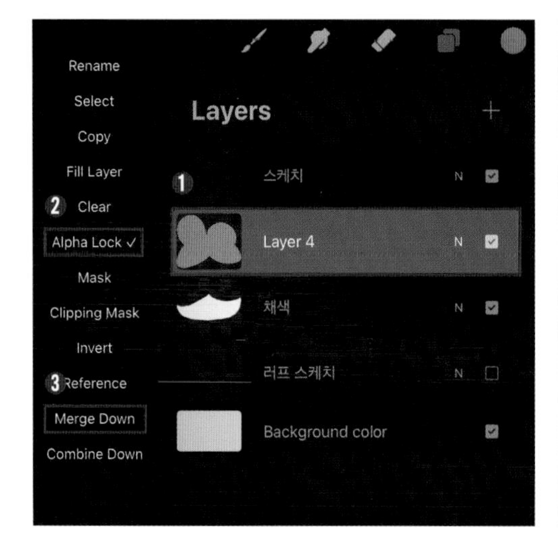


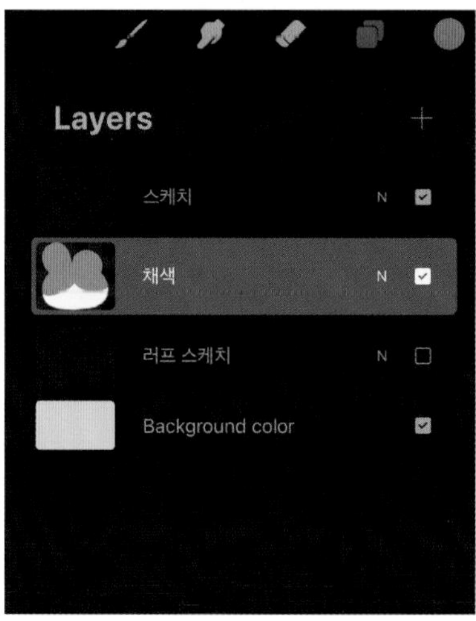

**16** 같은 방법으로 눈과 코 등 자잘한 부분들 마저 칠해주면 완성입니다.

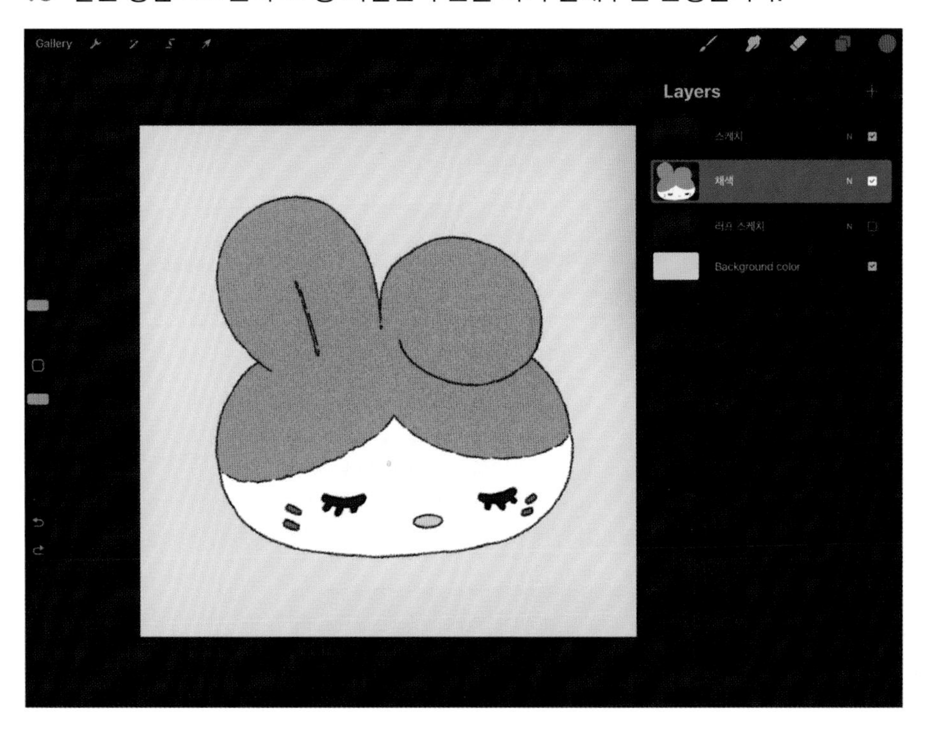


### 곰돌이 인형

**01** 캔버스 사이즈를 지정합니다. [Sketching]–[Procreate Pencil]을 선택한 후 사이즈를 20%로 설정합니다. 곰돌이 인형을 러프 스케치합니다. [Layers 추가](➕) 버튼을 터치하여 [선화] 레이어를 만듭니다. 스케치를 따기 위해 러프 스케치 레이어의 [Opacity]를 [25%]로 낮춥니다. 인형의 포슬포슬함을 표현하기 위해 스케치할 때 선을 중간중간 끊어서 오돌토돌하게 그려 줍니다.

러프 스케치

선화

**02** 쉽게 채색하고 텍스처 표현을 하기 위해 채색할 영역만 색을 채워 줍니다.

**03** 색을 채운 레이어를 [Alpha Lock] 합니다.

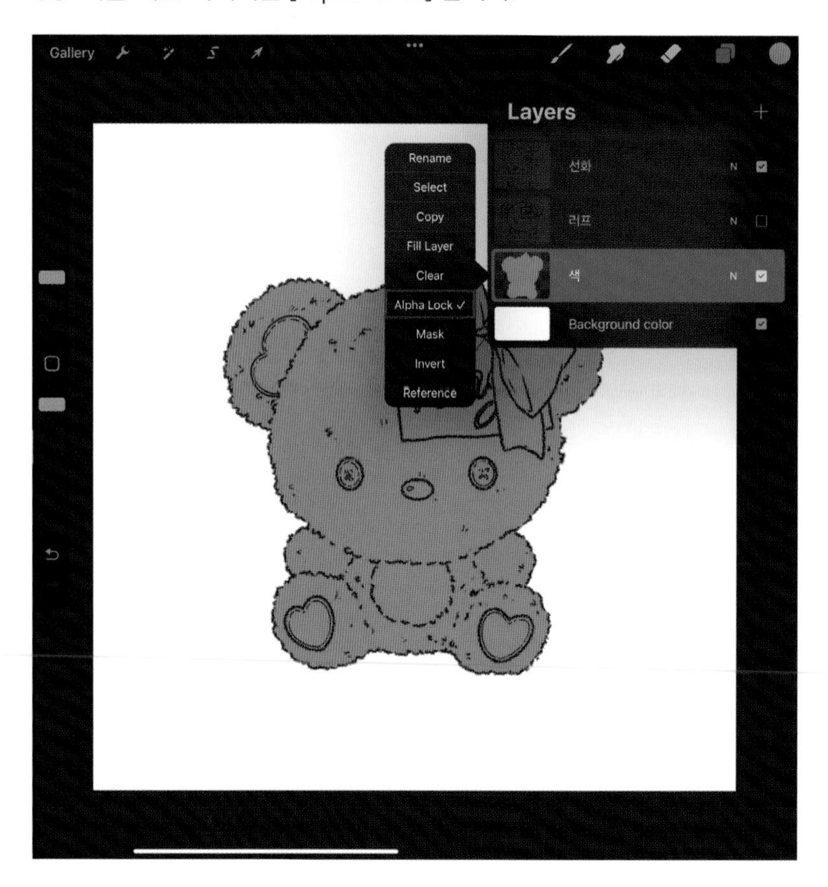

### 채색할 영역만 채우는 방법

스케치할 때 사용하는 [Sketching]–[Procreate Pencil]과 같은 브러시는 자체가 오돌토돌해서 틈이 많습니다. 영역 채우기 기능을 쓸 때는 틈이 없는 브러시를 사용해야 색을 채우는 기능을 쓸 수 있습니다. 따라서 저는 주로 [Sketching]의 브러시들을 활용하여 스케치하고 새로운 채색 레이어를 생성한 후 틈이 없는 [Airbrushing]–[Hard Airbrush]를 이용해 색 채우기 기능을 사용하고 있습니다.

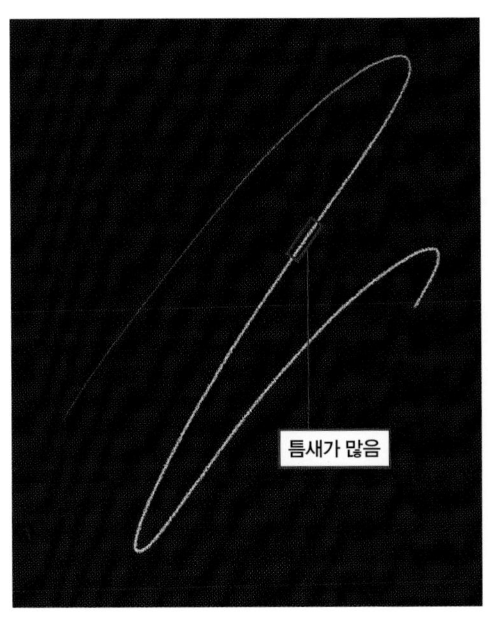

▶ [Sketching]–[Procreate Pencil] / [Airbrushing]–[Hard Airbrush]

❶ 먼저 [Sketching]–[Procreate Pencil]을 사용해서 스케치합니다.

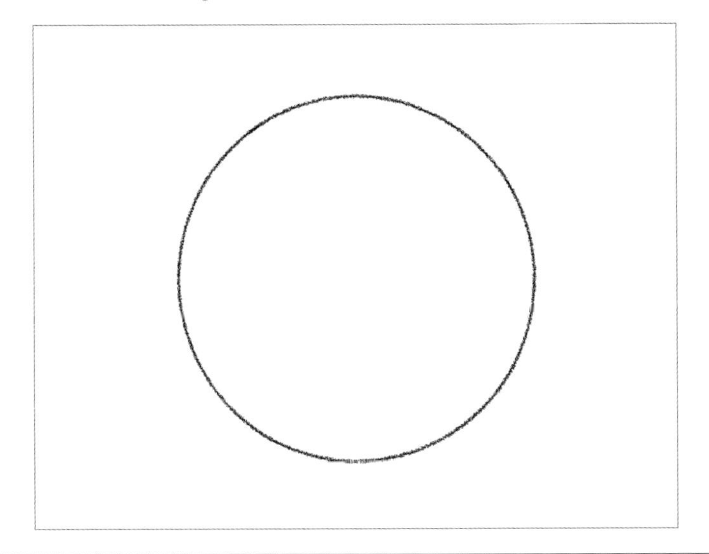

❷ [Layers 추가](➕) 버튼을 터치하여 [채색] 레이어를 만든 후 [Airbrushing]–[Hard Airbrush]로 앞서 그린 스케치와 똑같이 그려 줍니다.

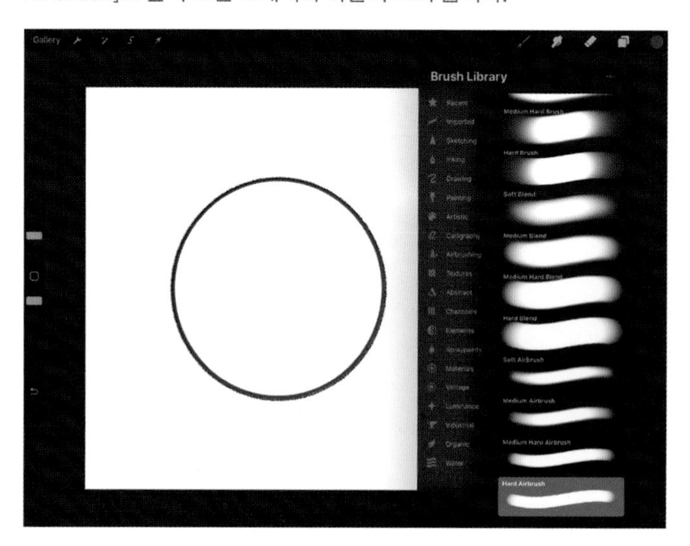


❸ 오른쪽 상단의 채색 버튼을 누른 상태로 색을 채우고 싶은 영역까지 끌고 와서 놓으면 색이 채워집니다.

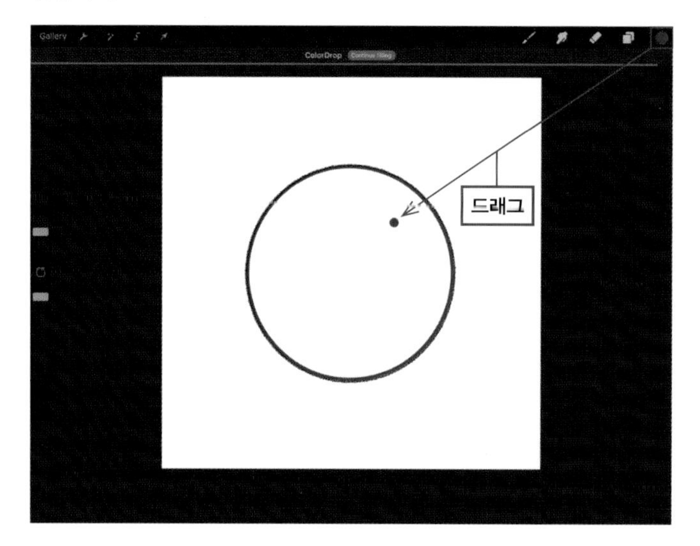

**04** 브러시에서 [Charcoals]–[2B Compressed]와 같은 오돌토돌한 느낌을 가진 브러시를 사용하여 진한 색감과 연한 색감을 섞어가며 아래와 같이 텍스처를 표현해 줍니다.

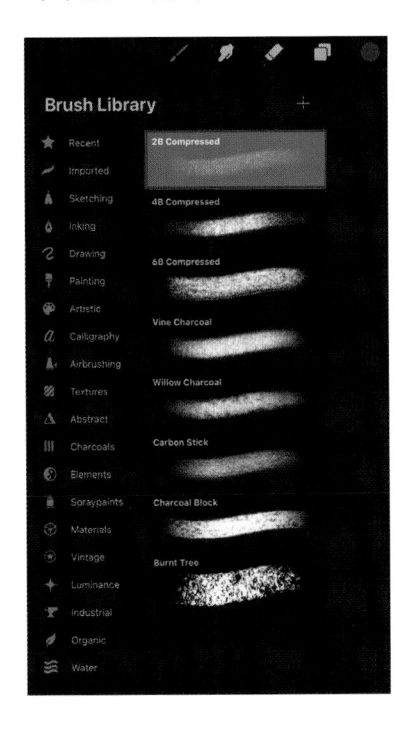

**05** 물체를 그릴 때 가장 밝은 부분과 그림자 부분을 파악하여 표현하는 것만으로도 완성에 가까운 그림을 그릴 수 있습니다. 하이라이트와 그림자 부분은 [Procreate Pencil]을 사용해서 더 섬세하게 표현합니다. 여기서는 수작업과 비슷하게 스케치 브러시로 세세한 묘사 후에 [Painting]–[Spectra] 브러시로 자연스럽도록 그림자 부분을 한 번 더 덮어 주었습니다.

**06** 위와 같은 방법으로 리본이나 종이, 눈 등을 밝은 부분과 어두운 부분을 인지하며 채색하여 완성합니다. 인형과 리본, 종이 질감의 차이를 주기 위해 종이는 매끈하게 텍스처 없이 채색하고 리본은 면 재질의 느낌을 살리기 위해 [Textures]–[Tarkine] 브러시를 사용합니다.

**07** 마지막으로 전체 색을 칠한 레이어를 누른 상태로 선화와 러프 아래 위치시킵니다. 색감을 밝게 하기 위해 [Overlay Layer]로 바꾸고 [Opacity]는 [25%]로 지정합니다.

Overlay Layer는 위에 레이어를 덮어 씌워 주면서 그림에 변화를 주는 것입니다. 쉽게 색을 밝거나 어둡게 할 수 있습니다.

**08** 곰 인형이 완성되었습니다. 완성된 그림의 레이어를 확인해 보며 참고하도록 합니다.

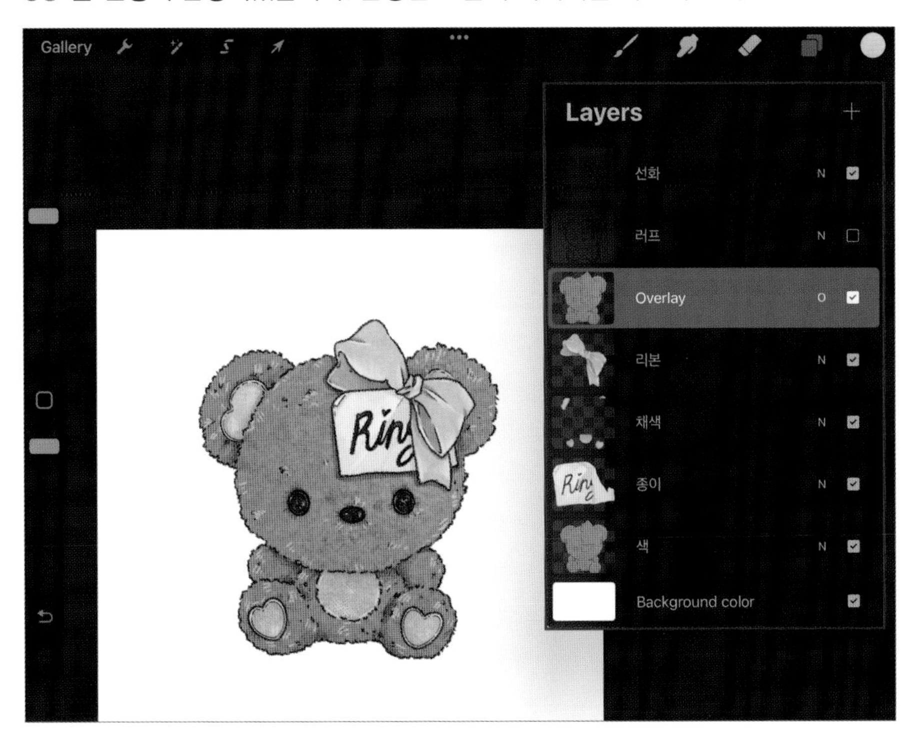

## 캐릭터 키링: 금속 질감 및 캐릭터 플라스틱 재질 표현하기

캐릭터 키링을 제작하며 앞서 설명한 금속 질감과 플라스틱 재질을 표현하는 방법을 구체적으로 배워 봅니다.

### 캐릭터 미니 키링1

**01** 캔버스 사이즈를 지정합니다. [Sketching]–[Procreate Pencil]을 선택한 후 사이즈를 20%로 설정합니다. 상상한 키링 캐릭터의 러프 스케치를 합니다.

- Width : 1080 PX
- Height : 1080 PX
- DPI : 500

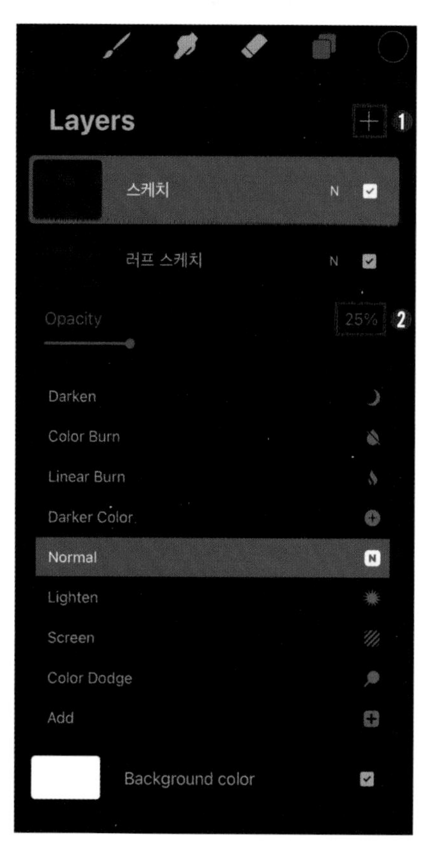


**02** [Layers 추가](+) 버튼을 터치하여 [스케치] 레이어를 만듭니다. 러프 스케치의 [Opacity]를 25%로 낮춘 후 원하는 브러시를 사용하여 스케치를 합니다. 여기서는 [Airbrushing]–[Hard Airbrush]를 사용했습니다.

**03** 캐릭터를 그린 후 곡선 기능(P.50)으로 키링 고리 부분의 원을 만듭니다. 대략적으로 원을 그리면 상단에 [Editing Circle]이 뜹니다. 여기서 [Circle]을 선택합니다.

**04** 새로운 레이어를 생성해 리본을 그립니다.

**05** [스케치] 레이어에서 리본과 겹치는 키링과 고리 부분을 지워 줍니다.

**06** [리본] 레이어와 겹치는 부분을 지운 [스케치] 레이어를 합치기 위해 [리본 레이어(Layer 3)]를 터치한 후 [Merge Down]을 선택합니다. 채색을 위해 [러프 스케치] 레이어 위에 새로운 레이어(채색)를 만듭니다.

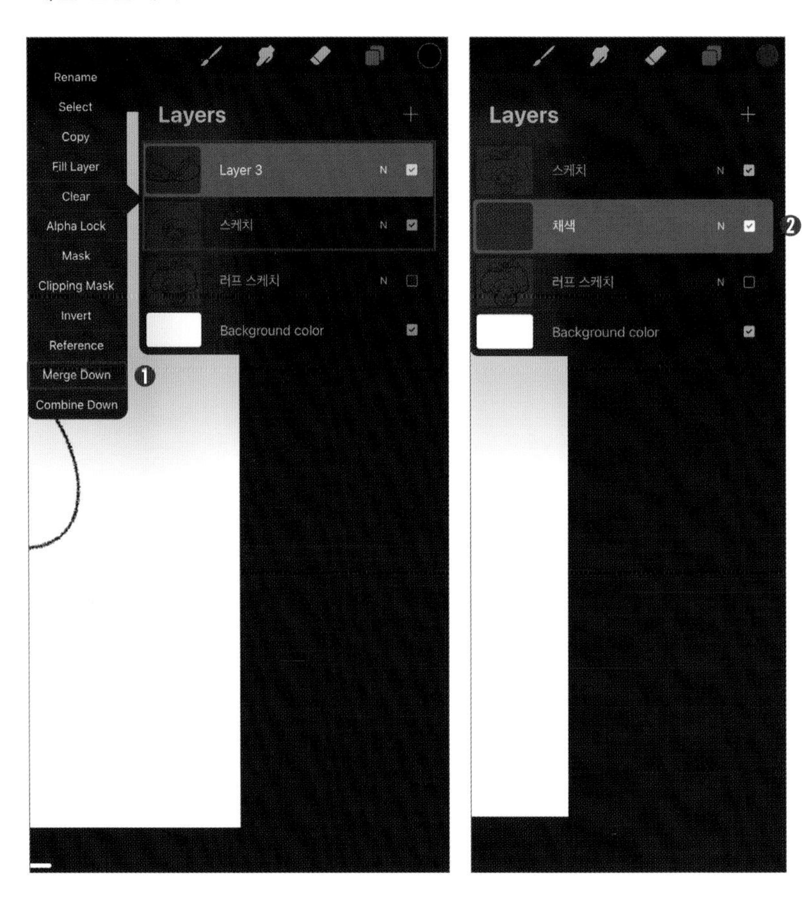

**07** [Background color] 레이어를 초록색으로 지정합니다. [Airbrushing]-[Hard Airbrush] 브러시를 사용해서 가장 큰 면적의 부분을 색칠합니다.

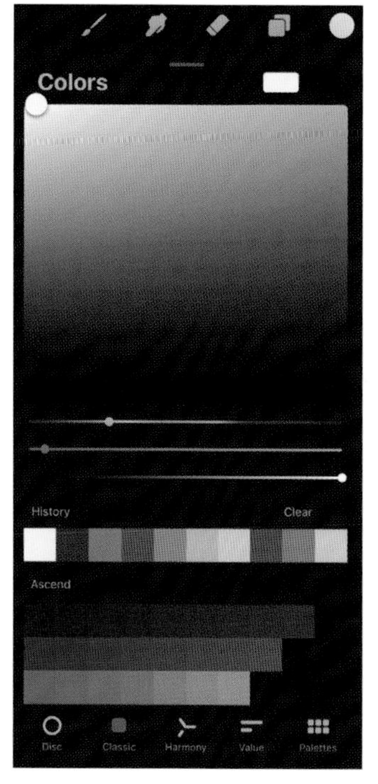

플라스틱 재질 표현은 하이라이트와 그림자가 매우 중요하기 때문에 추후에 밝은 하이라이트가 들어갔을 때 티가 날 수 있도록 여기서는 완전한 흰색이 아닌 살짝 노란 기가 도는 색을 선택했습니다.

**08** 앞서 42페이지를 참고하며 플라스틱과 금속의 재질을 표현합니다.

**09** 리본은 플라스틱으로, 금속 표현과 색칠하는 방식이 조금 다르기 때문에 새로운 레이어를 생성해서 리본만 따로 칠합니다. 베이스 색이 완성되었습니다.

10 [그림자] 레이어를 생성한 후 베이스 색보다 어두운색을 선택해 그림자 부분을 칠합니다.

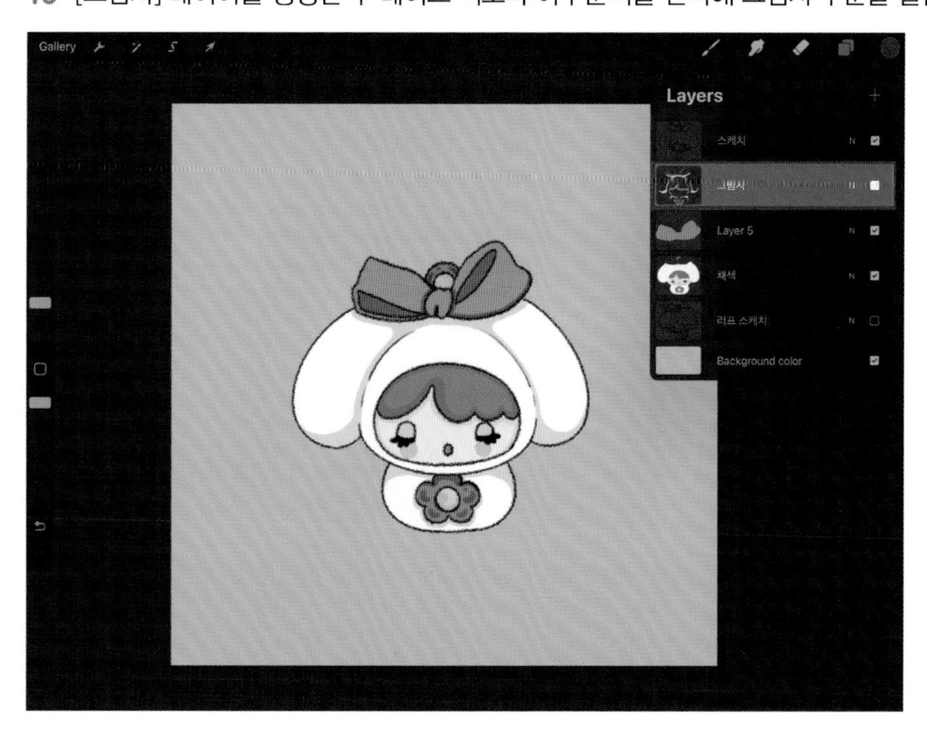


**자투리 TIP**

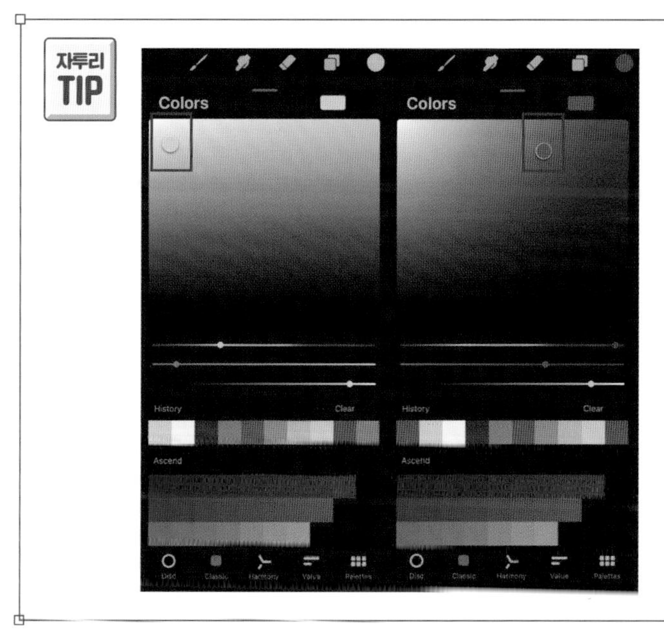


팔레트를 이용해 베이스 색 아래의 색을 고르면 그림자 색을 쉽게 선택할 수 있습니다.

**11** [리본] 레이어만 [Alpha Lock]을 해줍니다.

**12** [Painting]–[Spectra] 브러시를 선택합니다. 스포이드 기능으로 리본의 그림자 색을 선택한 후 리본 재질을 표현했던 방법과 같이 리본의 어두운 면적을 칠해줍니다.

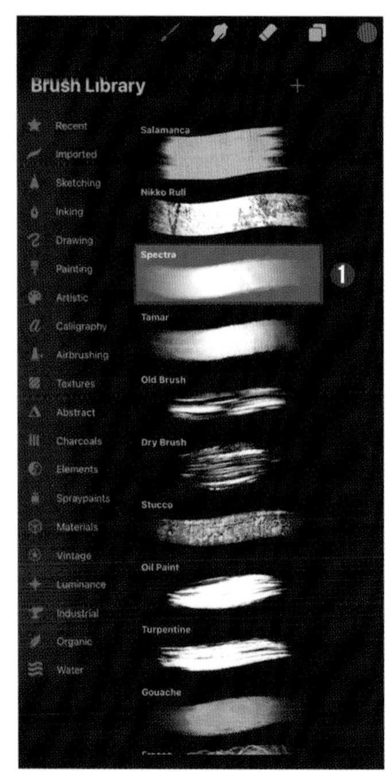

13 하이라이트를 위해 [그림자] 레이어 위에 [하이라이트] 레이어를 추가합니다. 하이라이트는 가장 밝은색인 하얀색을 선택해 표현합니다.

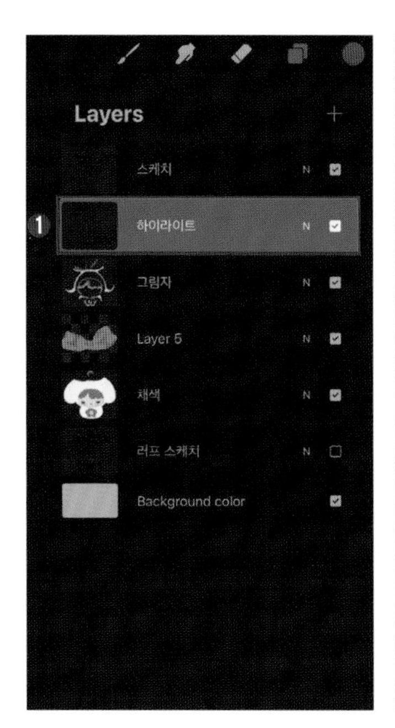

14 [Airbrushing]–[Hard Airbrush]를 사용하여 그림자 바로 위에 하이라이트를 칠해줍니다.

**15** 리본의 하이라이트는 [Sketching]–[Procreate Pencil]을 사용해 리본의 분홍색보다 옅은 색으로 그림자 주변 면적에 칠해 줍니다. 미니 키링이 완성됩니다.

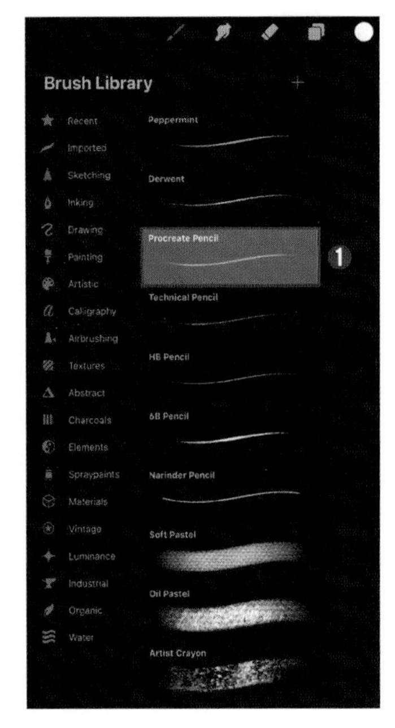

## 캐릭터 미니 키링2

**01** 앞선 방법과 동일하게 러프 스케치를 합니다. [선화] 레이어를 만든 후 러프 스케치의 [Opacity]를 25%로 낮춘 후 원하는 브러시를 사용하여 스케치합니다.

**02** 채색할 영역만 색을 채우고 [Alpha Lock]을 선택한 다음 본격적으로 색칠을 시작합니다.

**03** [Hard Airbrush]를 이용해서 기본적인 밑 채색을 합니다.

저는 금속 재질을 표현할 때 그림자와 하이라이트를 확실히 해 주고 에어 브러시와 같은 느낌의 브러시를 사용해서 매끄러운 표면을 구현하고 있습니다.

**04** 색 레이어를 복제해서 [Overlay Layer]로 변환해 줍니다. 이번에는 [Opacity]를 [83%]로 맞춰 줍니다.

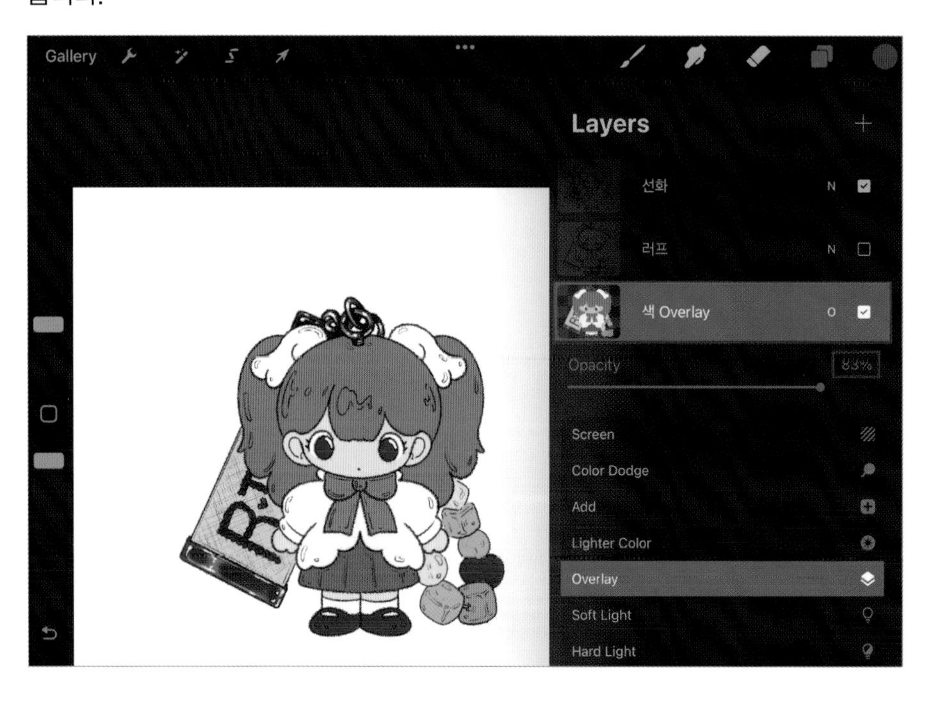

**05** [Overlay Layer] 위에 새로운 [그림자] 레이어를 만들어서 어두운 부분들을 칠해 줍니다. [Airbrushing]-[Soft Airbrush]를 사용해 플라스틱 재질을 표현합니다.

**06** [그림자] 레이어 위에 [하이라이트] 레이어를 만들어 밝은 부분과 하이라이트 부분을 채워 완성합니다. 완성된 캐릭터 키링 소품의 캔버스 레이어를 살펴보면 아래와 같습니다.

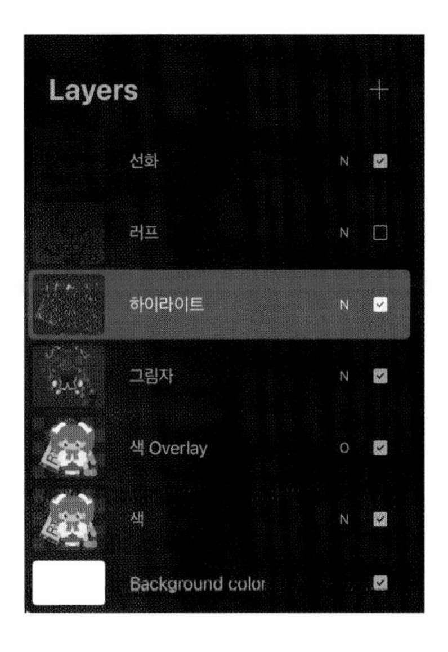

# 레트로 컴퓨터 그리기: 레트로한 텍스처 표현하기

색감과 텍스처를 살려 레트로하고 키치한 느낌의 일러스트를 그리는 방법을 소개합니다.

## 컴퓨터 그리기

**01** 원하는 형태의 컴퓨터를 러프 스케치합니다. 그 위에 새로운 [선화] 레이어를 추가해 [러프] 스케치 레이어의 [Opacity]를 낮추어 선을 그립니다.

러프 스케치 　　 선화

**02** [Painting]–[Spectra] 브러시를 선택합니다. [Opacity]를 [80%]로 내리고 밑색을 옅게 수채화로 표현하듯 칠합니다.

**자투리 TIP**

[Brush Library]–[Painting] 항목의 브러시 [Opacity]를 낮춰 사용하여 밑색을 깔면 훨씬 투명하고 수채화 특유의 수작업 느낌을 살릴 수 있습니다.

**03** 더욱더 세밀하게 색감을 칠합니다. 선 밖으로 튀어나온 색도 정리합니다.

**자투리 TIP**

**패턴의 중요성**

왼쪽의 이미지와 같이 단색만 사용하면 자칫 그림이 밋밋해 보일 수 있습니다. 오른쪽과 같이 패턴을 그려 넣으면 단순함은 사라지고 포커스 포인트인 컴퓨터 화면에 시선이 더 집중될 수 있습니다.

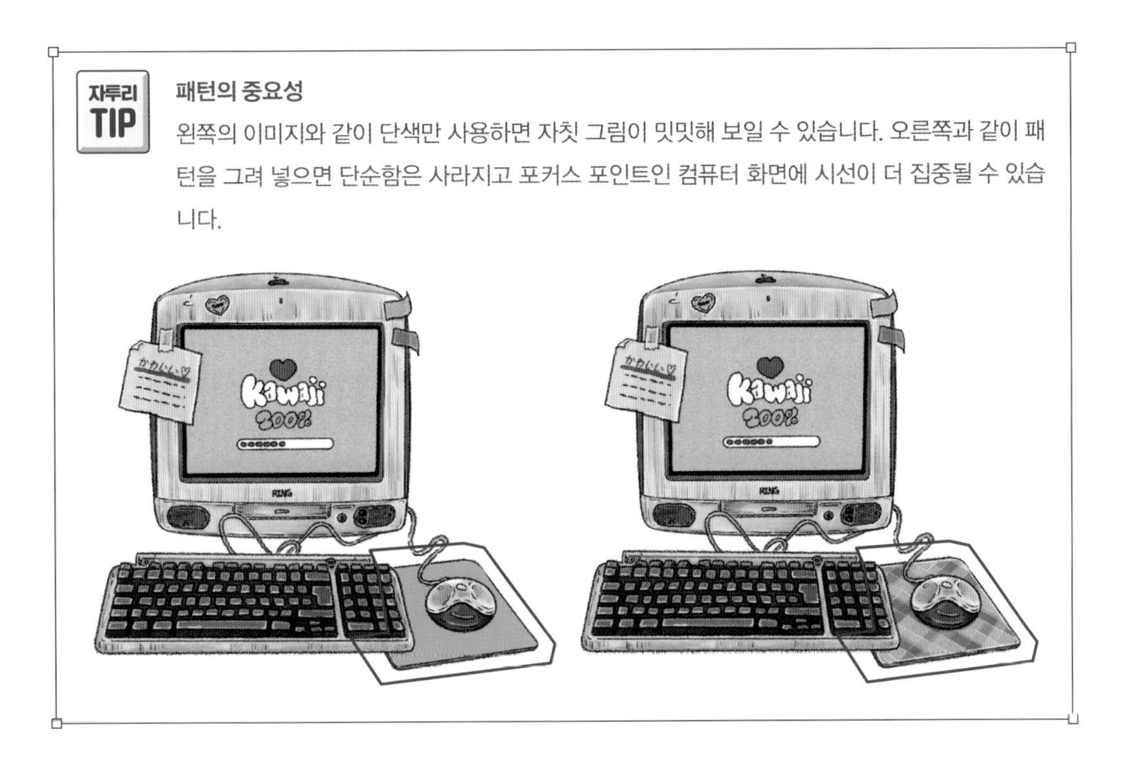

**04** 앞선 오브젝트와 같이 메모지 속 글, 스티커 등에 디테일과 하이라이트를 넣으며 일러스트를 채워 갑니다.

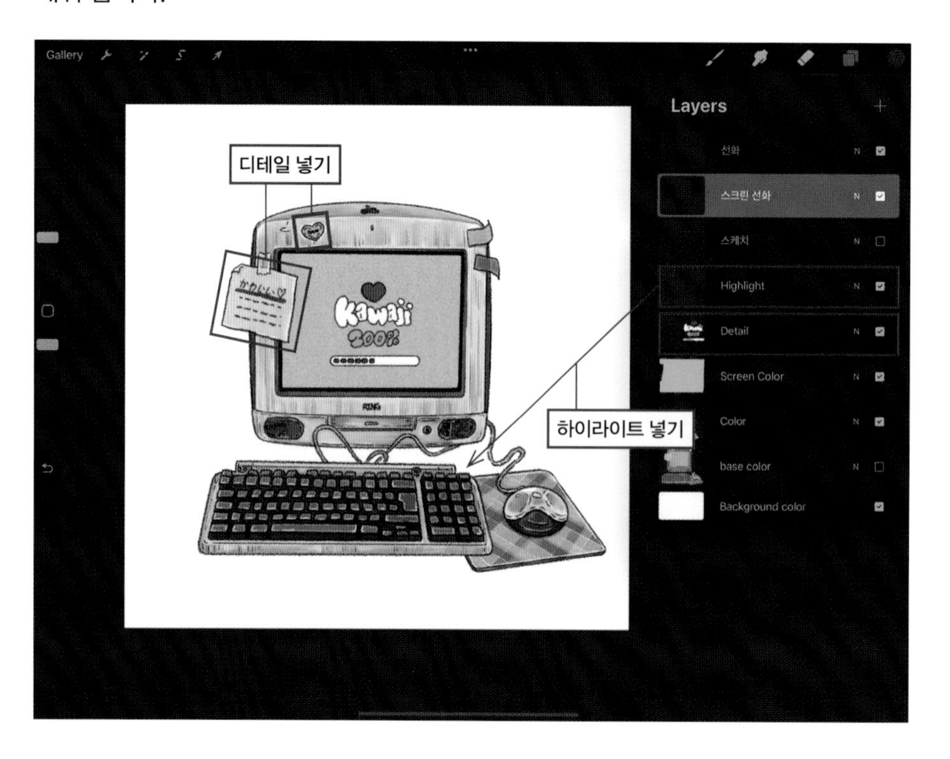


**05** 레트로한 컴퓨터의 모니터를 표현할 때는 색감과 텍스처가 무척 중요합니다. 기본적으로 채색할 색상의 가장 브라이트한 색감과 그 중간색 그리고 어두운색 3가지 색상을 활용합니다. 여기서는 모니터의 노이즈 텍스처를 [Bonobo chalk] 브러시를 사용해 표현했습니다. 먼저 기본 컬러를 깔아 준 뒤 그 위에 가장 어두운 컬러로 [Bonobo chalk]를 이용해 노이즈를 줍니다. 이후 밝은 색상과 중간 색상을 조화롭게 섞어 적절하게 노이즈를 표현합니다. 레트로 컴퓨터가 완성되었습니다.

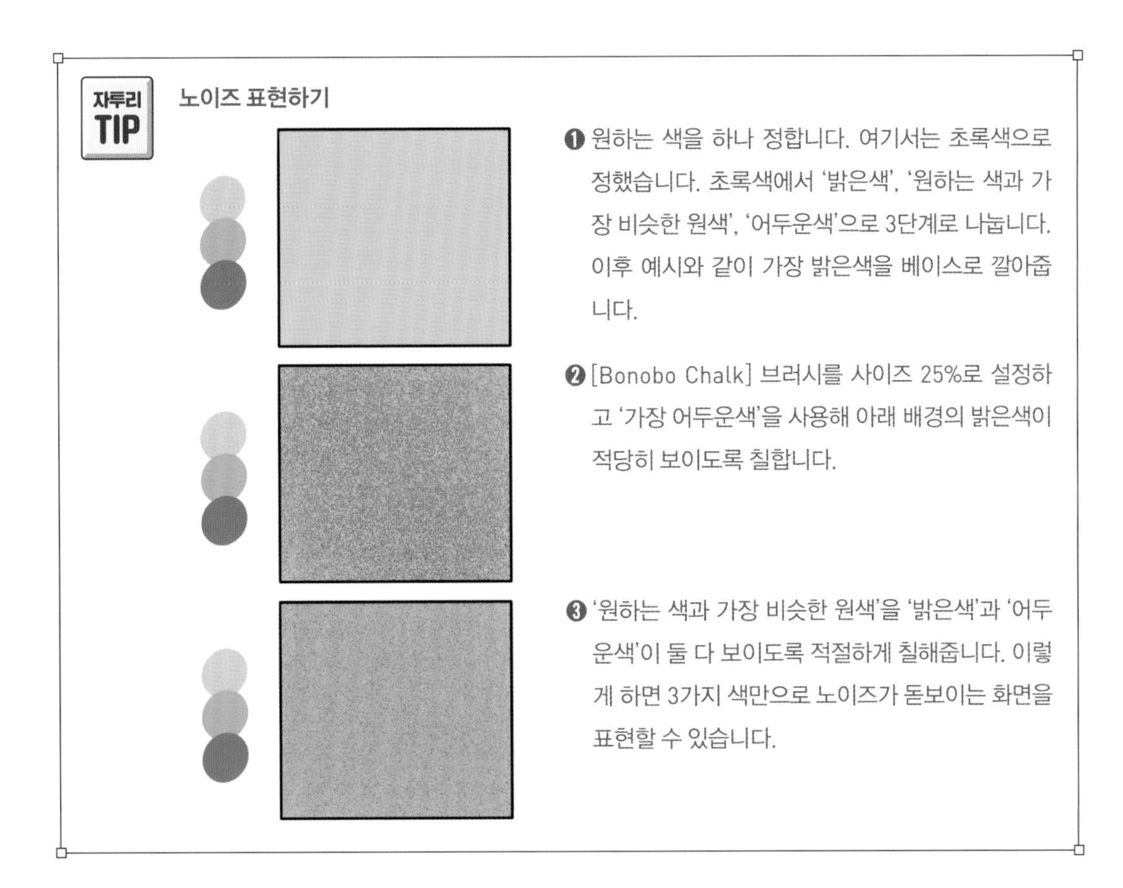

자투리 TIP

### 노이즈 표현하기

❶ 원하는 색을 하나 정합니다. 여기서는 초록색으로 정했습니다. 초록색에서 '밝은색', '원하는 색과 가장 비슷한 원색', '어두운색'으로 3단계로 나눕니다. 이후 예시와 같이 가장 밝은색을 베이스로 깔아줍니다.

❷ [Bonobo Chalk] 브러시를 사이즈 25%로 설정하고 '가장 어두운색'을 사용해 아래 배경의 밝은색이 적당히 보이도록 칠합니다.

❸ '원하는 색과 가장 비슷한 원색'을 '밝은색'과 '어두운색'이 둘 다 보이도록 적절하게 칠해줍니다. 이렇게 하면 3가지 색만으로 노이즈가 돋보이는 화면을 표현할 수 있습니다.

## 초보자를 위한 사진 트레이싱 소품 그리기

그림 초보자도, 기본기가 탄탄하지 않아도 일러스트를 그리는 방법이 있습니다. 바로 자신이 직접 찍은 사진을 활용해 형태를 잡고 그 위에 본인만의 디자인을 얹는 것입니다.

### 구두 사진 트레이싱하기

**01** 그리고 싶은 소품의 사진을 찍습니다. 여기서는 빨간 구두 사진을 예시로 두었습니다.

**02** [Actions]에서 트레이싱할 사진을 [Insert] 합니다. 그 위에 새로운 선화 레이어를 추가해 사진 레이어의 [Opacity]를 적절히 낮추고 본격적으로 선화 작업을 진행합니다.

**03** 선 따기 작업이 완성되면 선화의 [Opacity]를 낮추고 새로운 레이어에 자신이 그리고 싶은 러프 스케치를 얹어 줍니다.

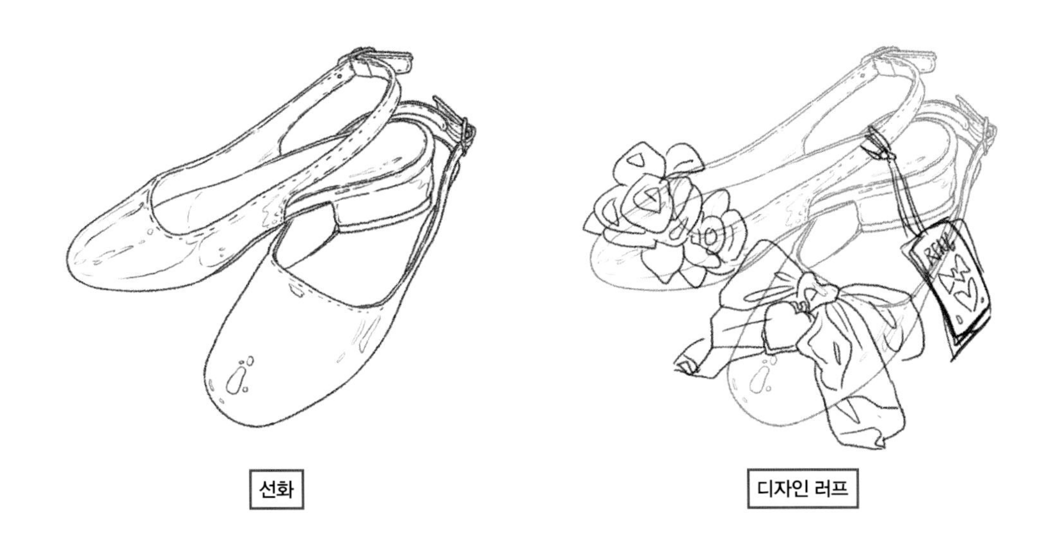

사진과 똑같이 따라 그릴 필요는 없습니다. 원하는 디자인을 상상하며 그에 맞게 변형해도 좋답니다.

**04** 디자인 러프 스케치가 마무리되면 새로운 레이어를 만들어 위에 선화를 다시 땁니다. 이후 트레이싱된 선화에서 디자인 선화와 겹치는 부분을 깔끔하게 지워 줍니다.

**05** 겹치는 선화를 지운 완성된 선화입니다. 색칠할 부분만 베이스가 될 색을 깔아 줍니다.

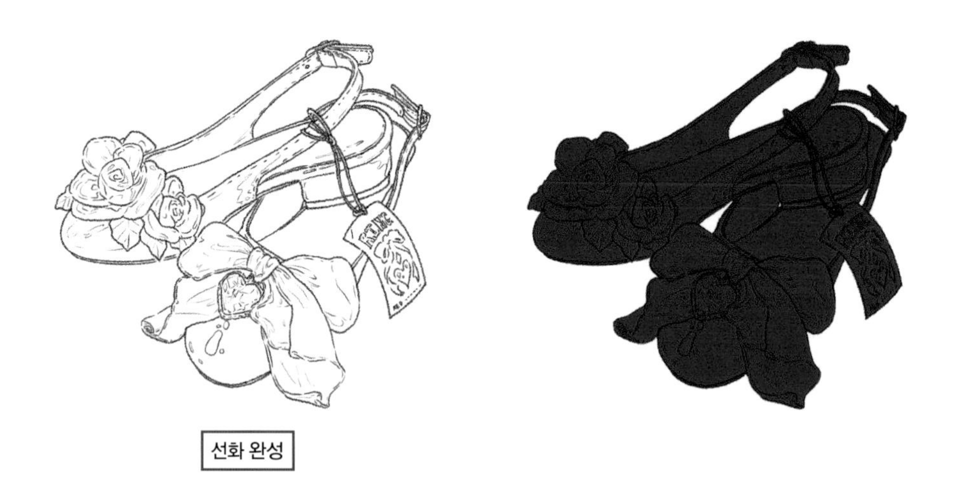

선화 완성

**06** 아래 레이어 목록을 확인하며 하이라이트와 그림자 등의 디테일을 살려 이미지를 완성합니다.

**빠르게 색칠하기**

❶ [Freehand] 툴을 사용해 색칠하려는 영역을 오른쪽 이미지의 영역처럼 정합니다. 이 부분을 [Duplicate] 및 [Cut & Paste] 합니다. 선택한 영역만 있는 새로운 레이어가 생성됩니다. 이 레이어를 [Alpha Lock] 한 후 원하는 색을 끌어와 칠하면 쉽고 간단하게 색칠할 수 있습니다.

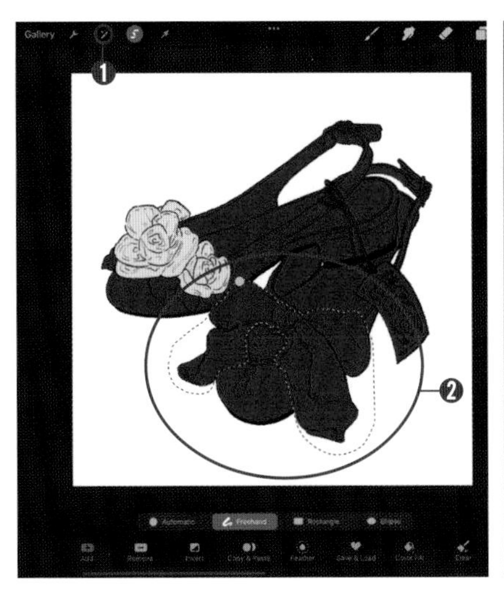


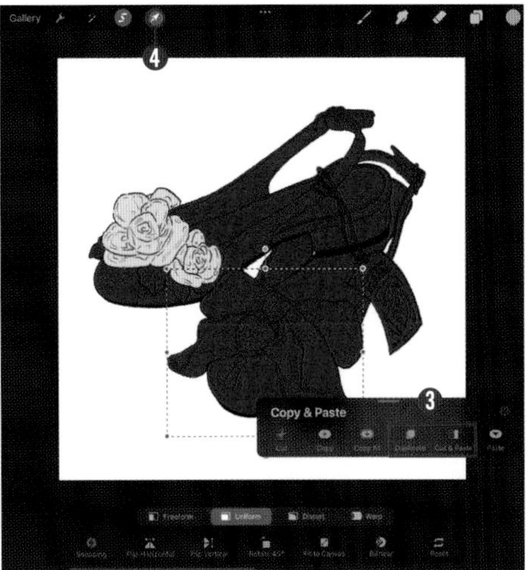


❷ 위의 방법으로 쉬폰 리본의 재질을 살릴 수도 있습니다. 새로운 레이어에서 예시 이미지와 같이 쉬폰 특유의 비침이 보일 것 같은 영역을 선택한 상태로 뒷배경의 빨간 구두 색을 뽑아 [Painting]–[Spectra] 브러시를 이용해 아주 살짝 덮어 줍니다.

# 캐릭터 디자인

기본기가 없어도 쉽게 따라 할 수 있는 캐릭터 디자인 방법을 소개합니다. 자신이 원하는 콘셉트의 인물에 맞춰 다양하게 활용해 보세요.

## 사람 캐릭터 그리기

정석적으로 인체를 그릴 때는 아래 그림과 같이 몸통을 상자로 잡는 형식의 드로잉법을 많이 사용합니다. 이는 그림 초보자들에게는 쉽지 않은 방법입니다. 따라서 인체 비율을 꼭 맞춰야 한다는 생각에서 벗어나 '그림 속 캐릭터가 어색하지 않아 보일 정도'를 기준으로 대략적인 형태를 잡도록 합니다.

캐릭터를 그릴 때는 아래와 같이 원과 곡선을 활용하여 대략적으로 표현합니다.

러프 스케치도 아래와 같이 낙서에 가깝게 드로잉합니다.

캐릭터의 형태를 잡을 때 가장 중요한 포인트는 코어 라인 즉, 중심부와 어깨, 골반 라인입니다. 이 3가지만 잘 잡아주면 엉성하지 않은 인물 형태를 그릴 수 있습니다. 캐릭터 전신을 그릴 때는 무릎의 들어가고 나오는 부분의 굴곡을 잘 표현하기만 해도 그럴싸한 보디 라인을 그릴 수 있습니다.

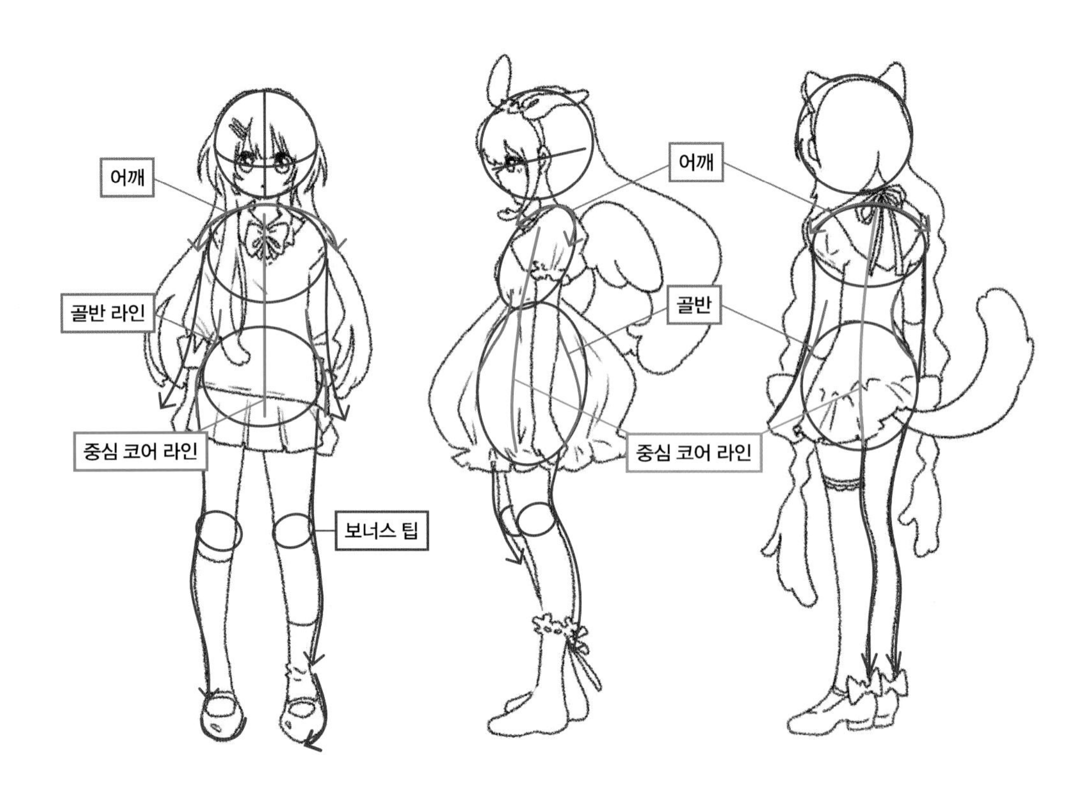

## 다양한 표정 표현하기

표정은 감정 표현에 가장 중심이 되는 부분으로, 캐릭터의 특징이 두드러지게 드러나도록 해줍니다. 표정을 그리기 어렵다면 거울을 보며 자신이 표현하고자 하는 표정을 지으면서 눈과 눈썹, 입 모양을 잘 관찰해 보도록 합니다.

**01** 활발한 밝은 표정 : 눈썹은 높게, 동공을 확장시켜 그리면 캐릭터의 활달한 성격을 표현할 수 있습니다.

❶ 입 모양을 조금 변형시켜 주면 놀란 표정을 나타낼 수 있습니다.

❷ 입 모양과 눈썹을 변형시켜 당혹스러운 표정을 표현할 수 있습니다.

**02** 졸린 표정 : 포인트는 한껏 올라간 눈썹과 쩍 벌어진 입 모양입니다. 손동작을 함께 그리면 하품하는 모션을 더욱더 극대화할 수 있습니다.

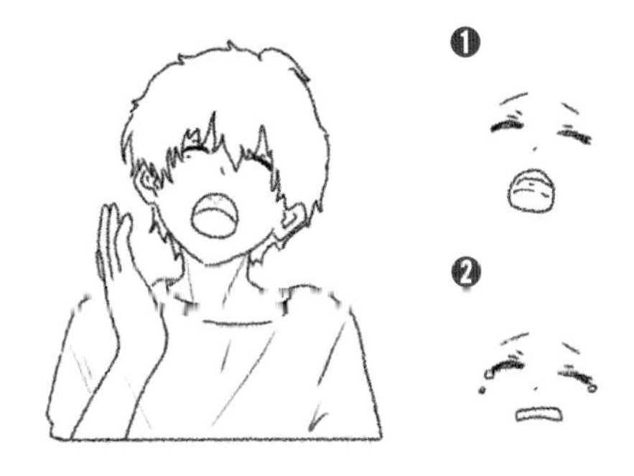


❶ 눈썹과 입 모양을 이용해 한탄하는 표정을 나타낼 수 있습니다.

❷ 눈물을 추가하고 입을 조그맣게 벌리면 억울한 표정을 연출할 수 있습니다.

**03** 웃는 표정 : 웃을 때 반달눈이 되는 것을 나타내기 위해 반쯤 뜨인 눈을 그리고 옆으로 벌어진 입 모양을 표현합니다.

❶ 눈이 완전히 감긴 초승달 모양으로 그리면 더욱 해맑은 웃음을 표현할 수 있습니다.

**04** 수줍은 웃음을 짓는 표정 : 3번과 입 모양은 비슷하게, 눈은 크고 동그랗게 그리면 수줍은 표정을 표현할 수 있습니다.

❶ 감긴 눈으로 변형시키면 아이 같은 수줍은 미소를 나타낼 수 있습니다.

## 머리 스타일 및 옷차림 나타내기

스타일로도 캐릭터의 분위기를 다양하게 연출할 수 있습니다.

### 머리 스타일

❶ **양 갈래 머리** : 러블리한 분위기

❷ **단발머리** : 발랄한 분위기

❸ **생머리** : 단아한 분위기

예시와 같이 표정과 자세 그리고 머리 스타일을 잘 활용해 캐릭터를 그리면 따로 설명 글이 필요 없이 일러스트만으로 캐릭터의 성격을 표현할 수 있습니다.

### 집순이

콘셉트에 따라 그 환경에 맞는 스타일을 잘 매치하는 것이 중요합니다. 아래는 내성적인 집순이 콘셉트를 살려 그린 일러스트입니다. 집에서 입을 만한 티셔츠와 양말을 캐릭터와 매치했습니다.

### 까칠한 남학생

까칠함은 표정에서 크게 드러납니다. 까칠한 눈동자와 입매를 표현하여 그려 봅니다.

### 커플

커플의 아기자기하고 친근감 있는 행동들을 표현해 보세요.

## 인간 외 캐릭터

인간이 아닌 독특한 모습을 한 캐릭터를 디자인해 보는 것도 재미있습니다. 인간 외 캐릭터를 일러스트로 그릴 때 더욱 특이하고 개성 있는 작업이 나옵니다. 상상력을 발휘해서 다양한 디자인을 시도해 보세요.

©Ring_411

Step 05

# 본격적으로 일러스트 그리기

앞서 배운 내용들을 활용하여 배경이 없는 아이콘 일러스트부터 방 일러스트까지 다양한 작품을 완성해 보도록 하겠습니다.

## SPOT ILLUSTRATION 그리기

SPOT ILLUSTRATION은 배경이 없는 아이콘 일러스트입니다. 스티커, 키링과 같은 굿즈를 만들 때 유용합니다.

### Spot illustration

앞서 그린 인형, 컴퓨터, 키링 이미지를 활용하여 스폿 일러스트를 완성해 보도록 하겠습니다.

**01** 소품들의 선화를 PNG로 저장해 툴 바에서 캔버스로 불러옵니다. 사이즈가 가장 큰 컴퓨터를 배경으로 깔고 키링과 인형 소품을 아래와 같이 배치합니다.

**02** 각 소품을 불러와 사이즈를 조정하는 작업으로 브러시 굵기가 달라졌기 때문에 그 위에 새로운 선화 레이어를 추가한 후 불러온 [스케치] 레이어의 [Opacity]를 낮추고 같은 브러시 사이즈로 선을 다시 땁니다. 여기서는 [Procreate Pencil] 브러시를 사용했습니다.

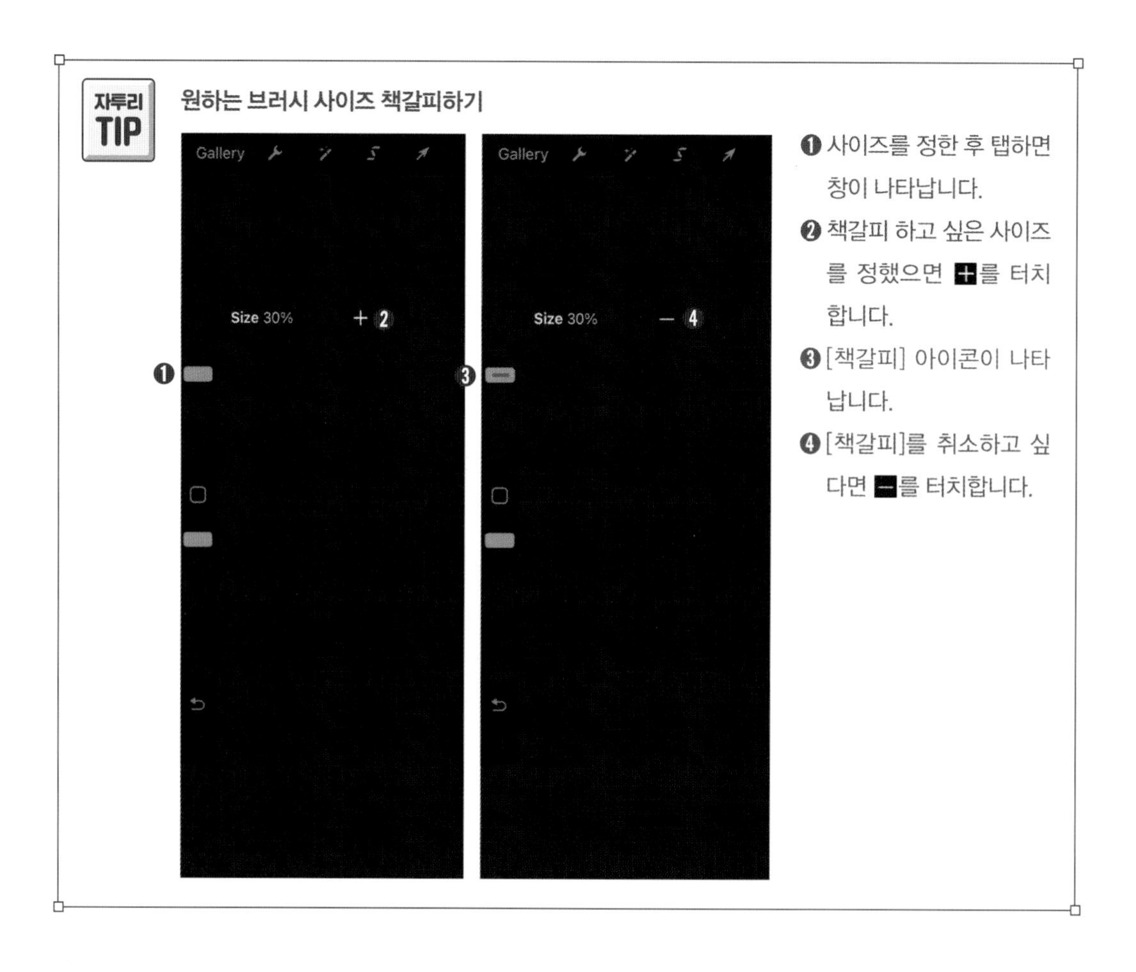


❶ 사이즈를 정한 후 탭하면 창이 나타납니다.

❷ 책갈피 하고 싶은 사이즈를 정했으면 ➕를 터치합니다.

❸ [책갈피] 아이콘이 나타납니다.

❹ [책갈피]를 취소하고 싶다면 ➖를 터치합니다.

**03** 각각의 따로 그린 소품을 하나로 합쳤기 때문에 색감이 잘 맞지 않습니다. [Painting] 브러시의 [Spectra]를 사용해 베이스 색감을 깔아 주고 소품들의 포인트 컬러를 다시 칠합니다.

**04** **03** 위에 디테일한 채색을 추가합니다.

**05** 소품을 그릴 때 썼던 방법 그대로 하이라이트와 텍스처, 패턴을 표현합니다. 선화 밖으로 튀어 나온 부분들도 깔끔하게 정리합니다. 완성된 Spot Illustration의 모습입니다. 소품들을 모아 이렇게 간단한 일러스트를 그릴 수 있습니다.

## 벽면 일러스트 그리기

소품, 가구, 캐릭터 등이 들어가는 방 일러스트를 그리기 전에 먼저, 소품으로 가득 찬 벽면 일러스트를 그려 보도록 하겠습니다.

### 투시원근법

투시원근법을 간단하게 설명하자면 가까운 것은 크게, 멀리 있는 것은 작게 표현하는 기법입니다. 투시원근법에는 소실점이 등장합니다. 소실점은 사물이 더 이상 보이지 않게 사라지는 지점입니다. 소실점을 사용한 1점 투시, 2점 투시, 3점 투시 방법이 있습니다. 1점 투시는 소실점이 1개, 2점 투시는 2개, 3점 투시는 소실점이 3개입니다.

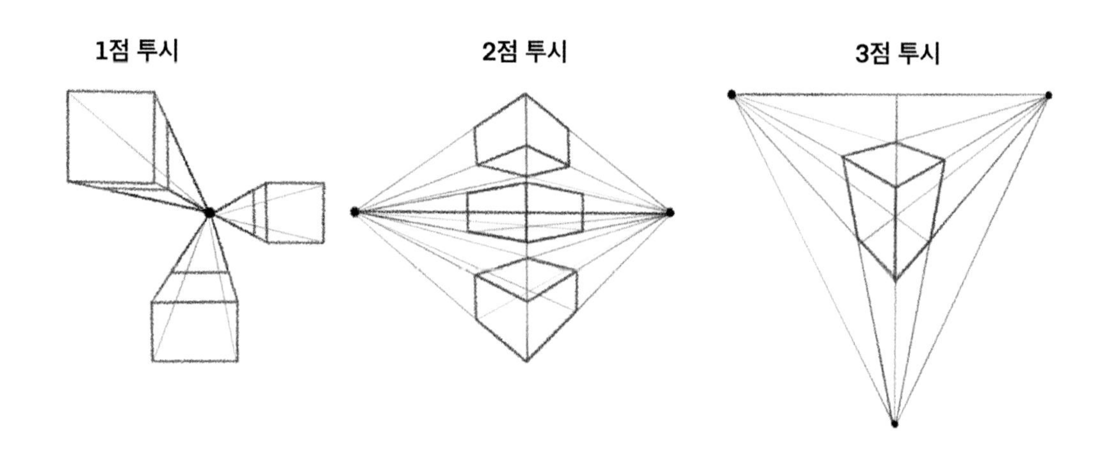


눈높이 또한 중요합니다. 1~3점 투시 모두 눈높이에 따라 보여지는 면이 다릅니다. 사물이 눈높이보다 위에 있다면 아랫면이 더 많이 보이게 되고, 사물이 눈높이보다 아래에 있다면 윗면이 더 많이 보입니다. 저는 주로 가구와 소품이 많은 일러스트를 그리기 때문에 모든 사물의 투시를 맞추기는 사실상 어려운 점이 많습니다. 따라서 현실적으로 가까운 사물은 크게, 멀리 있는 사물은 흐리고 작게 완급을 조절하며 표현합니다.

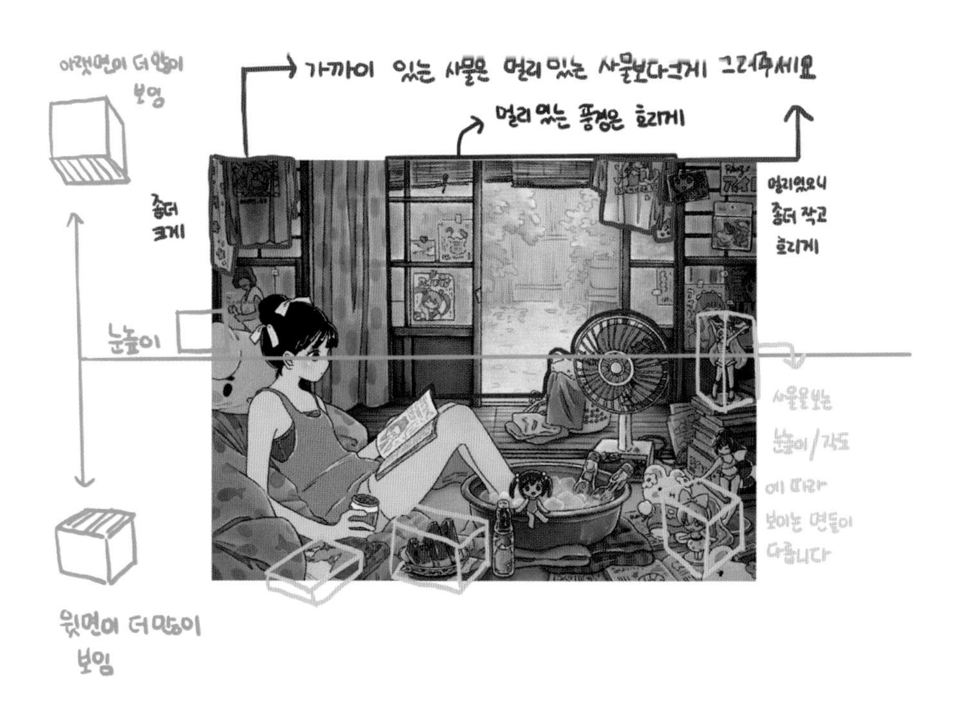


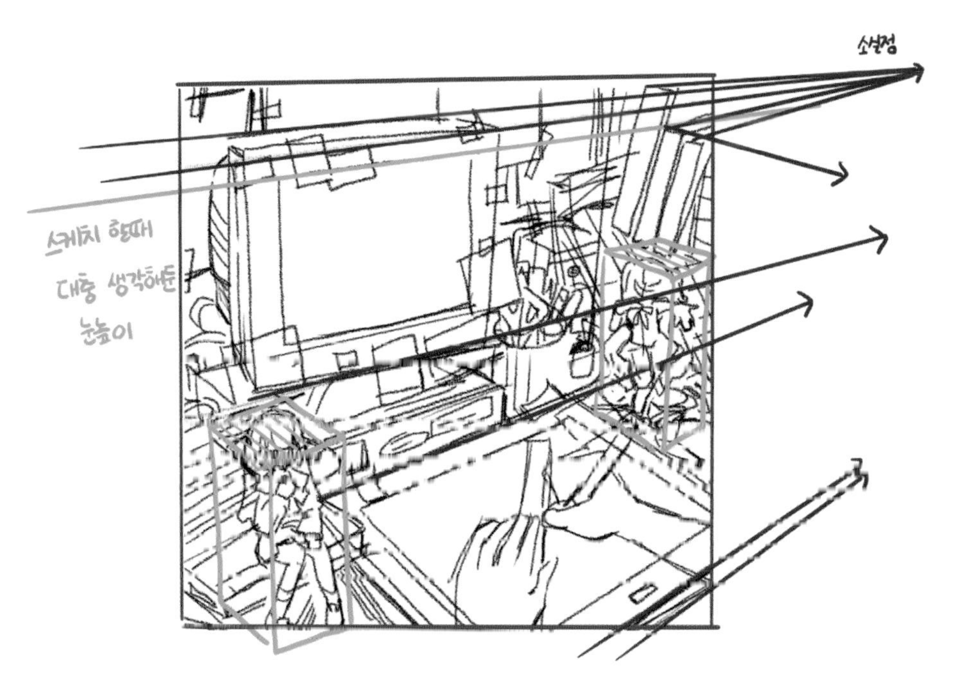

멀리 있는 사물과 배경은 흐리게 완급을 조절해주어야 그림을 보는 독자가 집중하기를 원하는 중심에 시선이 가도록 할 수 있습니다. 앞의 캐릭터에게 제일 먼저 눈길이 가도록 뒤의 배경은 흐리게 하거나 예시 이미지와 같이 어두운 톤으로 덮어주는 것도 좋은 방법입니다.

## 벽면 일러스트 스케치

**01** 그리고 싶은 공간을 러프 스케치합니다.

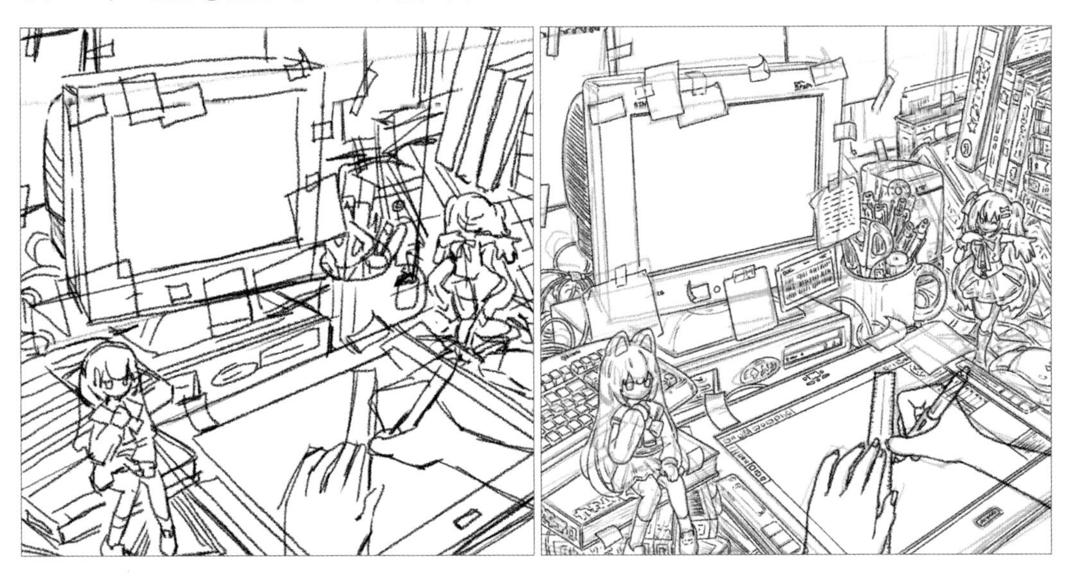

**02** 러프 스케치 위에 새로운 레이어를 생성한 후 선화 레이어를 만들어 선화를 땁니다. 추후에 애니메이팅 챕터에서 애니메이팅이 추가될 예정이기 때문에 미리 움직임을 넣을 부분은 배경 선화와 따로 분리된 레이어에 그려 주도록 합니다❶. 배경이 될 선화는 따로 애니메이션을 만들 때 [Animation Assist] 배경 고정 기능을 사용해 고정할 것이기 때문에 선화가 겹쳐도 지우지 않고 그대로 둡니다❷.

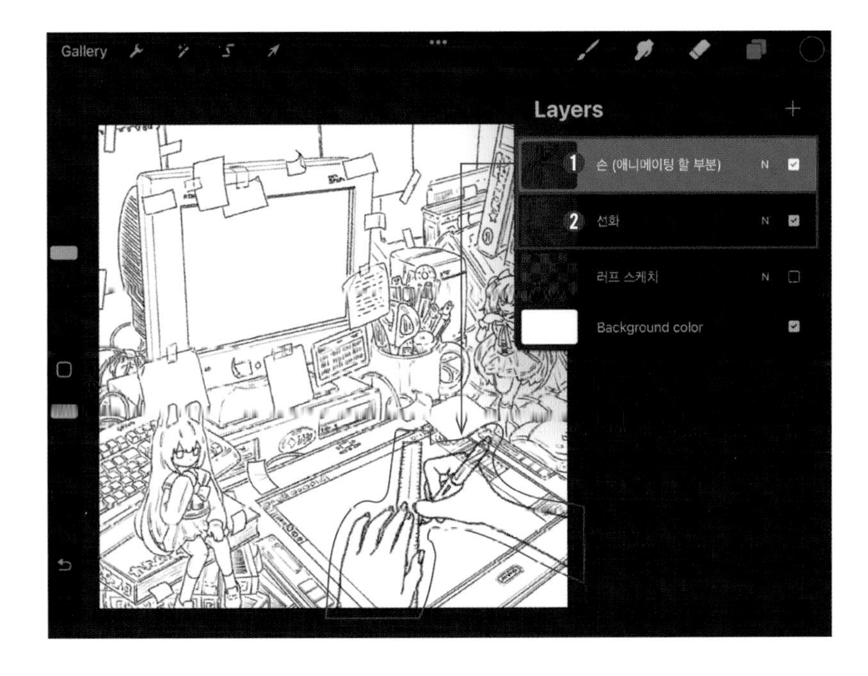

**03** 선화가 완성되었습니다.

## 일러스트에 맞는 색감 팔레트 찾기

표현하고 싶은 색감의 그림이나 사진을 보고 그 이미지에서 가장 많이 보이는 포인트 색을 예시와 같이 5~6가지 뽑아서 나열해 줍니다. 이렇게 포인트 색감을 찾아서 팔레트를 만드는 연습을 하면 색감 구상 실력이 향상됩니다.
색감에 따라 일러스트의 분위기가 크게 달라지기 때문에 디테일한 채색에 들어가기 전, 여러 가지 색감 팔레트를 실험해 보고 그중 그림과 가장 어울리는 베이스 컬러를 선택합니다.

그러데이션 컬러 팔레트(Spectra brush)

구성한 팔레트를 기준으로 선화 레이어 아래에 색감 레이어를 만들고 [Painting]-[Spectra] 브러시를 사용해 베이스 색감을 잡아 줍니다.

▶ 색감 후보 ①

▶ 색감 후보 ②

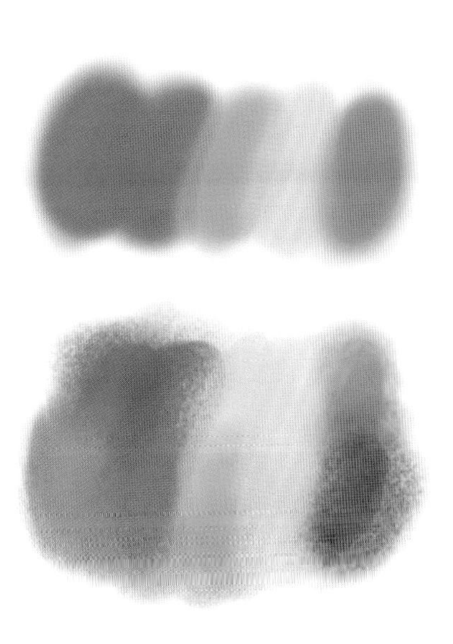

▶ 색감 후보 ③

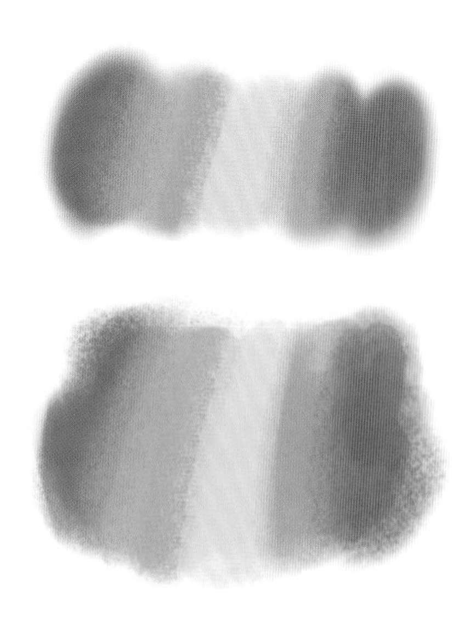

구상한 색감 후보들을 나열해서 모아 보면 각각의 다른 분위기를 확실하게 느낄 수 있습니다. 가장 마음에 드는 색감 베이스를 선택해서 진행합니다. 저는 청량한 느낌이 나는 3번 팔레트를 중심으로 채색해 보도록 하겠습니다.

▶ ① 따뜻한 노을 분위기

▶ ② 팝한 저녁 분위기

▶ ③ 청량한 여름 분위기

### 색감 디테일하게 표현하기

색감을 더 디테일하게 표현할 때는 수작업할 때와 비슷하게 작업합니다. 여기서는 [Sketching]–[Procreate Pencil]과 [Painting]–[Spectra] 브러시 두 종류를 주로 사용했습니다.

**01** [Painting]–[Spectra] 브러시로 밑색을 깔아 줍니다.

**02** [Sketching]–[Procreate Pencil]을 사용해서 오브젝트의 형태를 잡아 줍니다. 쉽게 이해할 수 있도록 빨간색으로 진행해 보도록 하겠습니다.

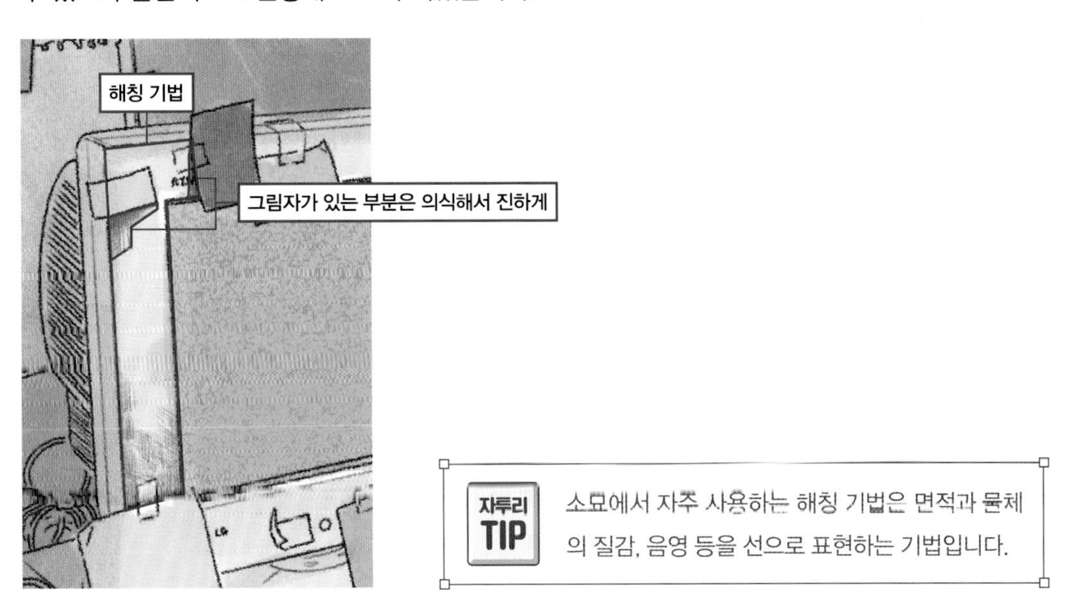


**자투리 TIP** 소묘에서 자주 사용하는 해칭 기법은 면적과 물체의 질감, 음영 등을 선으로 표현하는 기법입니다.

**03** 다시 [Painting] 브러시로 바꾸어 [Procreate Pencil]로 작업한 부분을 가볍게 덮어 줍니다.

**04** 자연스러운 블렌딩을 해주기 위해 [스포이드] 툴을 이용하여 블렌딩이 되지 않은 경계선이 보이는 부분의 중간색을 뽑습니다.

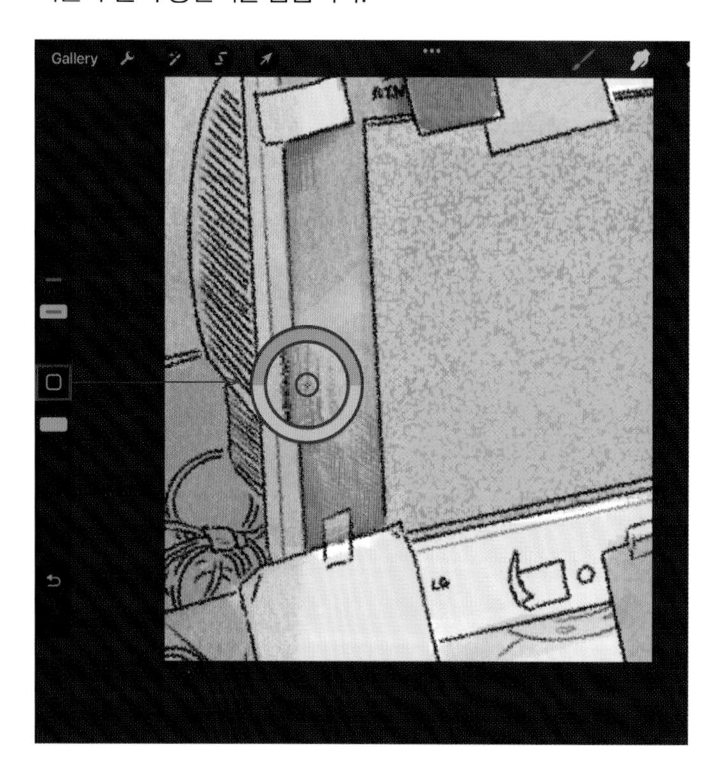

**05** 중간색으로 [Painting]과 [Procreate Pencil] 브러시를 번갈아 이용하여 위와 같은 방식으로 해칭+블렌딩하면 물체의 자연스러운 면적 표현이 가능합니다.

**자투리 TIP** 그림자는 한 가지 톤보다는 튀지 않는 선에서 예시와 같이 다양한 색감을 적절히 섞어 사용하는 것이 그림의 다채로움을 살릴 수 있습니다.

**시선이 집중되는 부분 외에는 크게 신경 써서 디테일을 잡지 않아도 된다!**

❶ 베이스 컬러 위에 그림자가 있는 부분들을 파악해서 밝은 부분과 대비될 수 있도록 어둡게 덮어 준다는 느낌으로 색칠합니다.

❷ 예시에 표시한 곳은 일러스트 안에서 시선이 가장 집중되도록 해야 하는 메인 파트이기 때문에 이 부분은 더욱더 디테일하게 작업했습니다. 그 외 그림자 부분이나 눈에 크게 띄지 않아도 된다고 생각하는 부분들은 대략적으로 칠해주면 됩니다.

❸ 표시한 그림자 부분은 디테일보다는 채도와 톤에 신경 쓰는 것이 중요합니다. 아래 그림은 전체적으로 파란 색감이 강하기 때문에 채도가 낮은 남색 톤으로 그림자를 맞춰 채색합니다.

**06** 벽면 일러스트가 완성되었습니다.

### Overlay Layer

[Overlay Layer]는 덮어씌우는 효과를 가진 기능입니다. Overlay Layer에서 사용하는 색에 따라 일러스트 색상이 어두워지거나 밝아질 수 있습니다. 저는 이 기능을 일러스트의 전체적인 색감을 통일해 주기 위해서 자주 사용하고 있습니다. 여러 가지 물체를 색칠하는 중 그림의 색들이 잘 어울리지 않다고 느껴질 때 유용합니다.

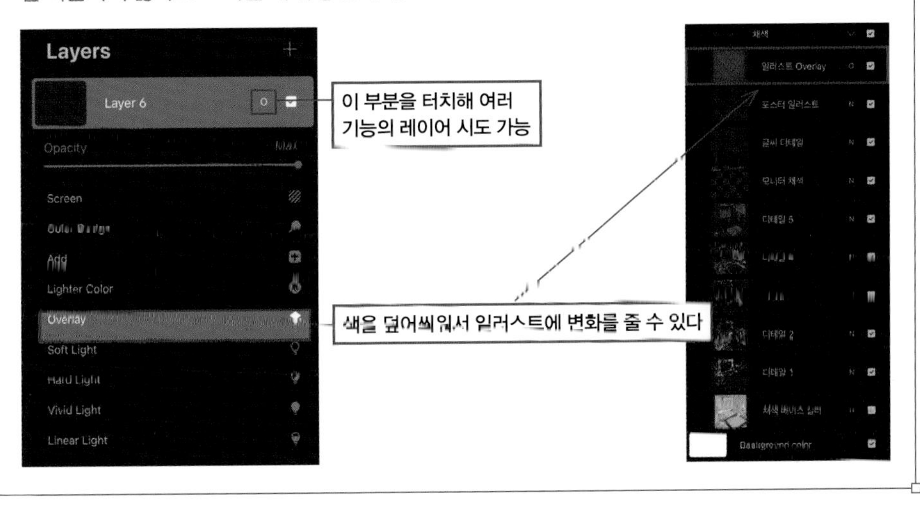

## 캐릭터가 있는 방 일러스트 그리기 ①

**01** [Sketching]–[Procreate Pencil]을 사이즈 20%로 지정한 후 러프 스케치합니다. 러프 스케치 위에 새로운 레이어를 생성한 후 선화 레이어를 만들어 선화를 땁니다. 선화를 따기 쉽도록 러프 스케치의 Opacity를 25% 정도 낮춰 줍니다. 선화를 다 그렸다면 러프 스케치 레이어는 꺼둡니다.

**02** 선화 레이어 아래에 채색 레이어를 생성한 후 원하는 색을 밑바탕으로 칠해 줍니다.

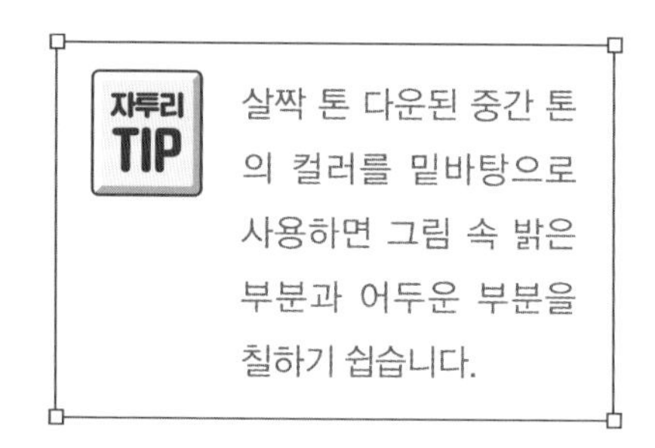
자투리 TIP

살짝 톤 다운된 중간 톤의 컬러를 밑바탕으로 사용하면 그림 속 밝은 부분과 어두운 부분을 칠하기 쉽습니다.

**03** [Painting]–[Spectra] 브러시를 사용해 아래와 같이 대략적으로 채색합니다.

**04** 색 설정이 완료되었으면 본격적인 채색에 들어갑니다. 색칠할 때는 가장 먼저 눈에 들어오는 부분인 빨간색 테두리 부분을 먼저 칠하도록 합니다.

## 원하는 색감이 잘 안나온다면?

❶ 채색 레이어를 선택한 후 컬러 팔레트에서 원하는 색감을 선택합니다. 이후 [컬러 팔레트] 아이콘을 꾹 누른 상태로 드래그해서 캔버스 위에 놓습니다.

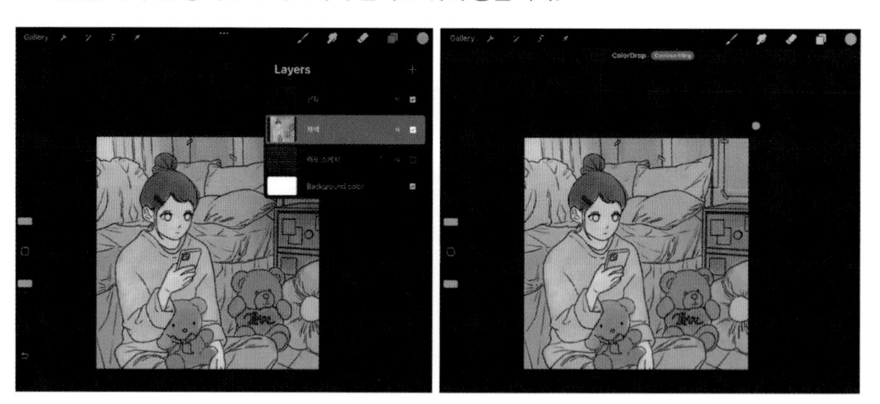


❷ 아래와 같이 다른 컬러 톤의 색이 나옵니다. [컬러 팔레트] 아이콘을 드래그하는 위치에 따라 다른 색감이 나옵니다.

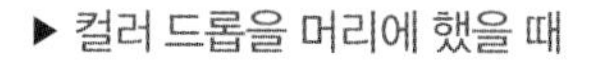
▶ 컬러 드롭을 머리에 했을 때

▶ 컬러 드롭을 옷에 했을 때

**05** 이 일러스트와 같이 톤이 일정한 그림의 경우는 캐릭터와 배경 구분이 잘 가지 않을 수 있습니다. 이럴 때는 아래 표시한 부분과 같이 캐릭터의 그림자 부분을 어둡게 칠해주는 것이 좋습니다.

**06** 이렇게 앞서 배운 기능들을 활용하여 색을 칠해서 완성해줍니다.

# 캐릭터가 있는 방 일러스트 그리기 ②

캐릭터와 배경이 포함된 일러스트를 그려보도록 하겠습니다. 캐릭터와 가구, 소품을 배치하며 오밀조밀한 방 일러스트를 완성해 보아요.

## 자신의 방 일러스트 그리기

**01** 벽면 일러스트를 그릴 때와 마찬가지로 가구와 물건들의 원근법을 상기시켜 스케치합니다. 러프 스케치 위에 선화를 완성합니다.

일러스트에 그릴 물건이 떠오르지 않을 때는 자신의 방을 관찰해 보도록 합니다.

**02** 색감을 정해 디테일하게 채색합니다.

**03** 앞서 배운 기능들을 활용하며 방 일러스트를 완성합니다.

### 원근법과 캐릭터 구도를 살려 방 일러스트 그리기

**01** 가구와 물건들의 원근법을 상기시켜 스케치를 합니다. 캐릭터의 위치도 대략적으로 그려 줍니다. 본격적으로 스케치 위에 선화를 그립니다.

**02** 캐릭터 배치를 위해 레이어의 [Opacity]를 낮추거나 [Alpha Lock]을 한 후 아래와 같이 색을 옅게 바꿔 줍니다. 새로운 레이어에 본인이 상상한 캐릭터의 구도를 스케치합니다. 스케치 위에 새로운 레이어를 생성해 선화를 그려줍니다.

**03** 캐릭터 선화가 완성된 모습입니다.

추후에 캐릭터 애니메이팅을 넣을 계획이라면 캐릭터와 배경이 겹치는 부분을 지우지 말고 그냥 두도록 합니다.

**04** 일러스트의 컬러 팔레트를 구성하고 마음에 드는 색감을 선택합니다. 파란 계열의 색감은 앞서 사용했기 때문에 이번에는 분홍, 주황 계열로 표현했습니다.

**05** [Base color]를 새로운 레이어에 복사해서 [Overlay] 레이어로 변경해준 뒤 주황 계열의 색감으로 [bonobo chalk]로 덮어 줍니다.

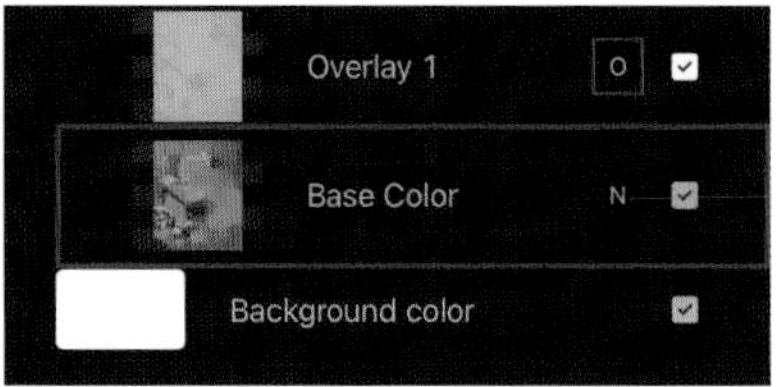


**자투리 TIP**

[Overlay] 레이어를 Opacity 100%로 사용할 때 색감이 무척 비비드하게 표현되기 때문에 저는 Opacity를 50% 아래로 내려서 적당히 생동감 있는 색감이 나올 수 있도록 합니다. 자신이 선호하는 색감대로 Opacity를 맞춰 사용하도록 합니다.

**06** 색감의 디테일을 넣을 때, 전체적인 컬러 밸런스가 맞지 않는다고 느껴진다면 [Overlay] 레이어를 두 번 이상 사용합니다. 여기서 신경 써야 할 점은 일러스트 안에서 포인트 컬러를 살려 줘야 한다는 것입니다. 아래 일러스트의 포인트 컬러는 민트색과 초록색입니다.

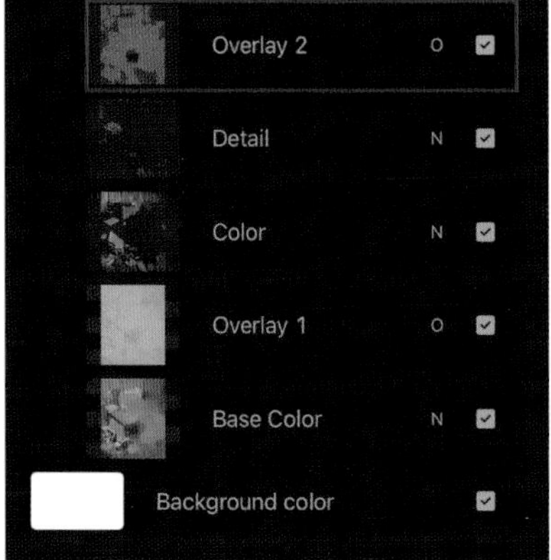

**포인트 컬러가 있을 때와 없을 때의 차이점**

모든 톤이 비슷하면 배경이 단조로워지기 쉽습니다. 따라서 포인트 컬러를 생각하며 색칠하도록 합니다.

▶ 포인트 컬러 없음

▶ 포인트 컬러 있음

**07** 커플 캐릭터가 포함된 일러스트가 완성되었습니다.

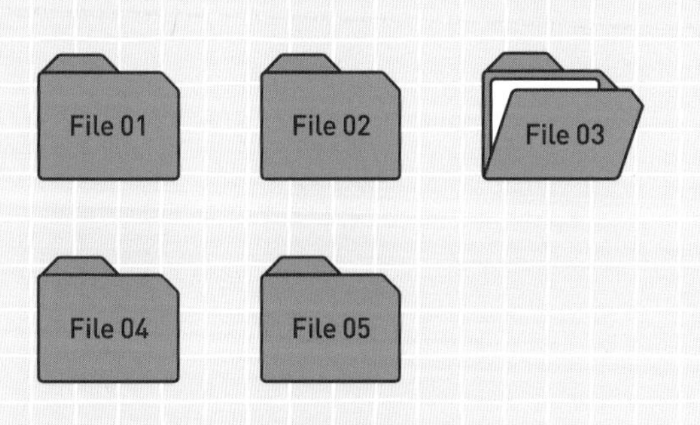
File 01
File 02
File 03
File 04
File 05

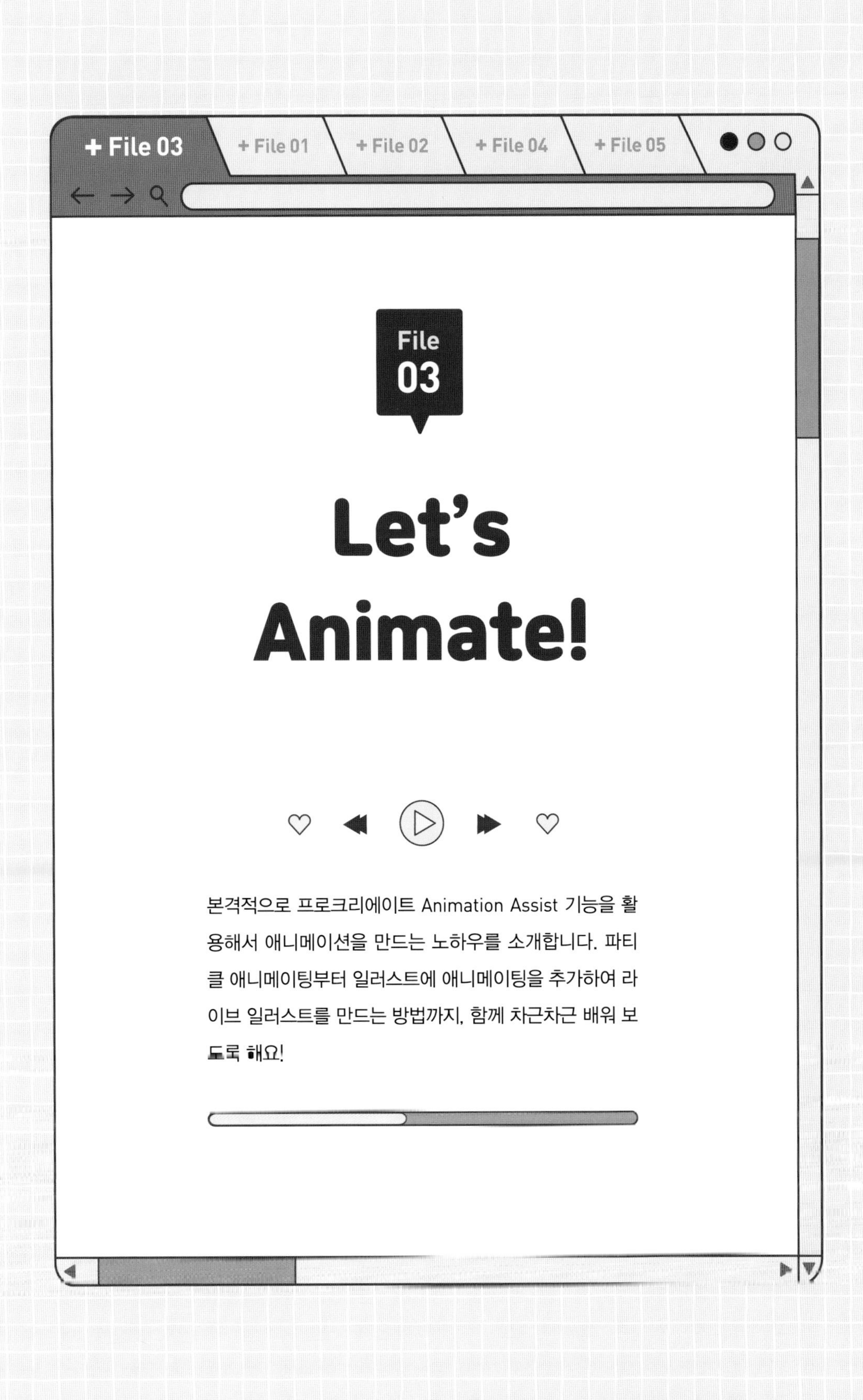


# Let's Animate!

본격적으로 프로크리에이트 Animation Assist 기능을 활용해서 애니메이션을 만드는 노하우를 소개합니다. 파티클 애니메이팅부터 일러스트에 애니메이팅을 추가하여 라이브 일러스트를 만드는 방법까지, 함께 차근차근 배워 보도록 해요!

# 01 파티클 애니메이팅

파티클 애니메이팅을 잘 활용할 수 있다면 정적인 일러스트에 생동감을 더해주는 요소로 사용할 수 있어요. 프로크리에이트의 Animation Assist 기능을 활용해 간단한 애니메이팅 기능을 익혀보도록 하겠습니다.

## 애니메이팅 PSD 파일 프로크리에이트로 불러오기

▶ **파일명** [예제폴더]–[File 03]–[별 파티클]–[별 파티클.png]

**01** 갤러리 화면에서 오른쪽 상단 [Import]를 터치합니다. 파일 검색 창에 다운로드받은 [별 파티클]을 검색한 후 불러옵니다.

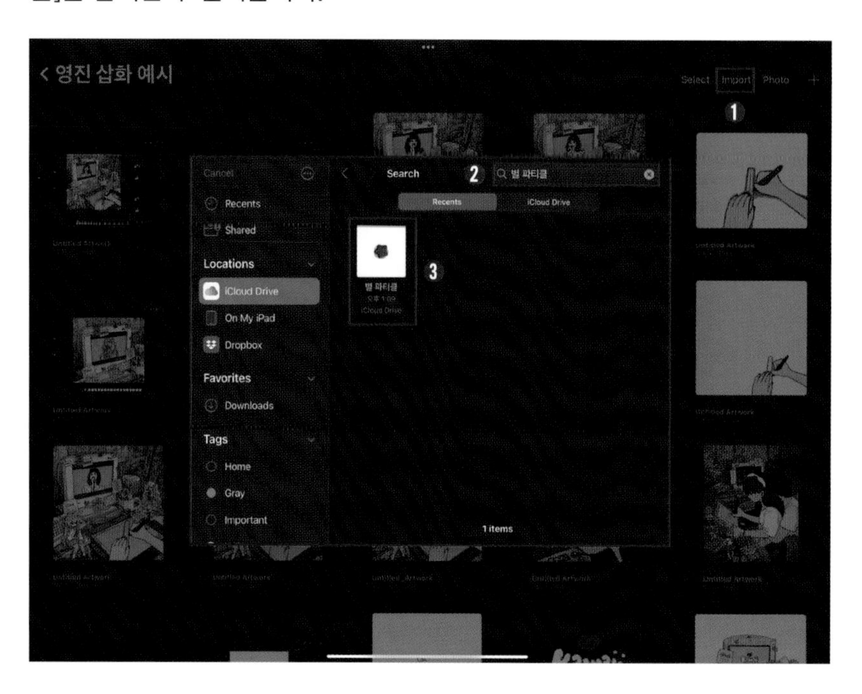

**02** 별 이미지가 캔버스에 나타납니다.

**03** [Actions]-[Canvas]에서 [Animation Assist] 버튼을 켜줍니다. 오른쪽 하단의 [Settings]에서 옵션을 설정합니다.

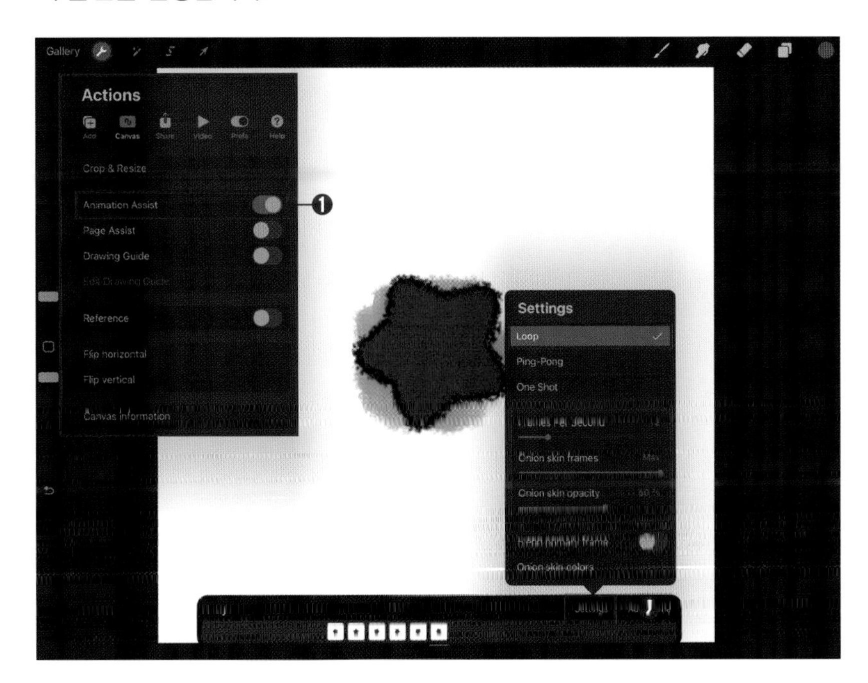


❶ Loop

❷ Frames Per Second – 12

❸ Onion skin frames – Max

❹ Onion skin opacity – 60%

**04** 불러오기와 설정이 완료되었습니다.

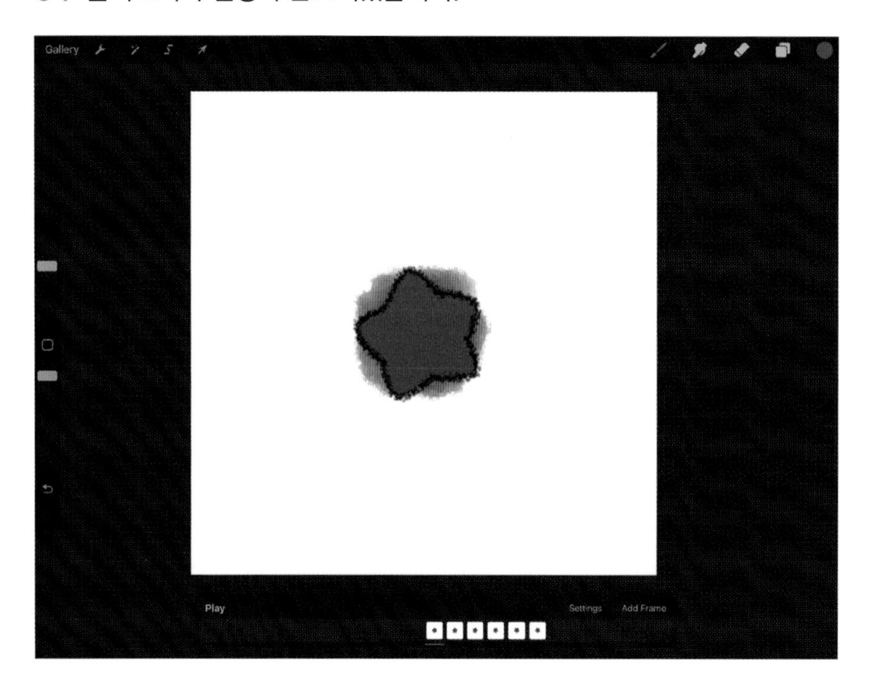

## 별 애니메이팅하기

▶ 파일명 [예제폴더]–[File 03]–[별 파티클]–[별 파티클1~6.png]

**01** 원하는 별 이미지를 그리거나 [별] 이미지 파일을 불러옵니다.

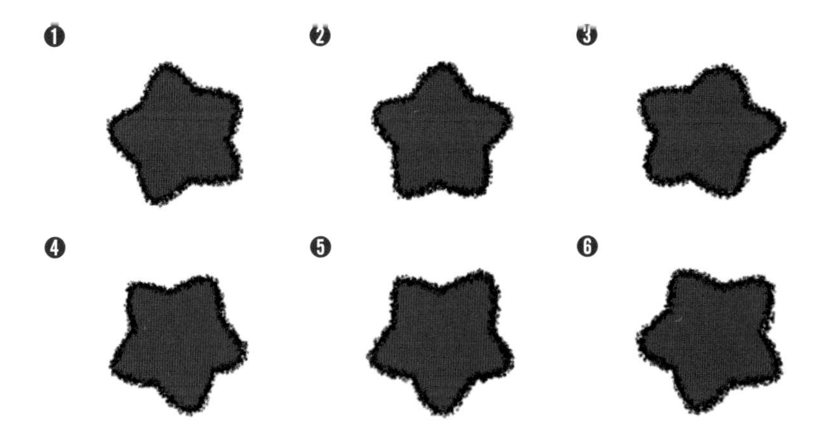

**02** 별의 빨간 점을 파란 점이 있는 곳의 직전까지 돌려준다 생각하며 시계 방향으로 총 6개의 레이어를 생성합니다.

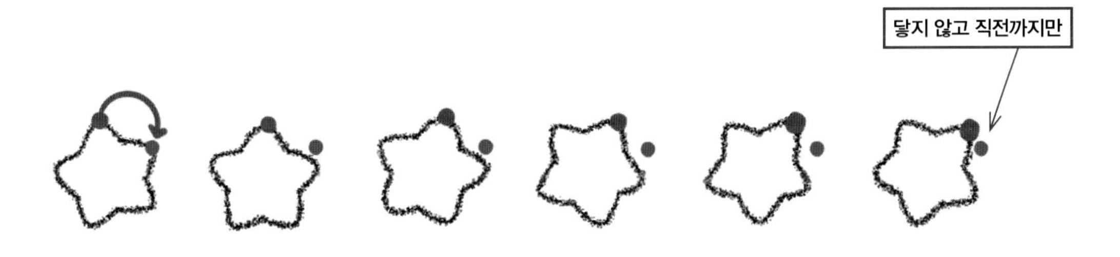

파란 점이 닿기 직전까지만 그리는 이유는 Animation Assist에서 재생을 눌렀을 때 Loop 설정이라면 바로 1번 별로 움직임이 이어지기 때문입니다.

**03** 재생 기능은 [Loop], [Frames Per Second(재생속도)]는 [12]로 맞춰 놓았습니다. 루프를 설정했기 때문에 6번 레이어에서 파란 점이 닿기 직전까지만 그리면 재생 시 자연스럽게 빙글빙글 돌아가는 별의 모습이 재생됩니다.

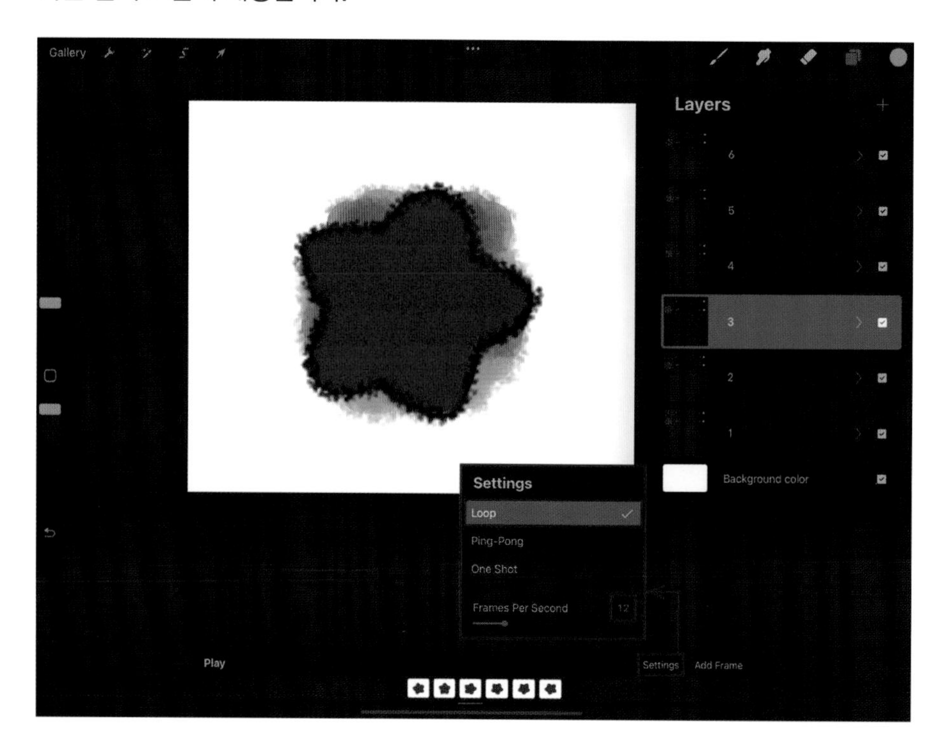


**04** 애니메이팅 파일을 저장하기 위해 [Actions]–[Share]를 터치합니다. [PSD]를 터치하여 저장합니다. PSD 형식으로 파일에 저장하면 작업한 모든 레이어 그대로 저장이 가능해 작업 백업이나 추후 수정할 때 사용하기 편리합니다.

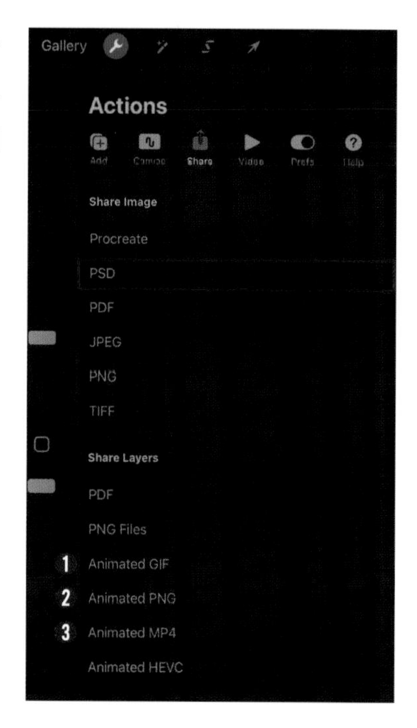

이미지 저장 형식

❶ Animated GIF : 웹에 업로드할 때에 가장 많이 사용되는 파일 형식입니다. 모바일에서도 보기 편리한 저장 옵션입니다.

❷ Animated PNG : GIF 파일과는 다르게 사진첩에 저장할 때는 멈춰 있는 이미지로 보이지만 파일에 저장할 때에는 움직이는 애니메이션으로 보입니다.

❸ Animated MP4 : GIF 업로드가 지원되지 않는 웹에 업데이트할 때 유용한 형식입니다. GIF와는 다르게 재생이 반복되지는 않습니다. 비디오 편집을 염두에 두고 있다면 MP4로 저장하는 것이 좋습니다.

## 별똥별 애니메이팅하기

▶ **파일명** [예제폴더]–[File 03]–[별똥별]–[별똥별1~8.png]

**01** 앞서 만든 별 파티클을 참고하여 뒷부분에 별똥별을 표현할 수 있는 이미지를 아래와 같이 그립니다.

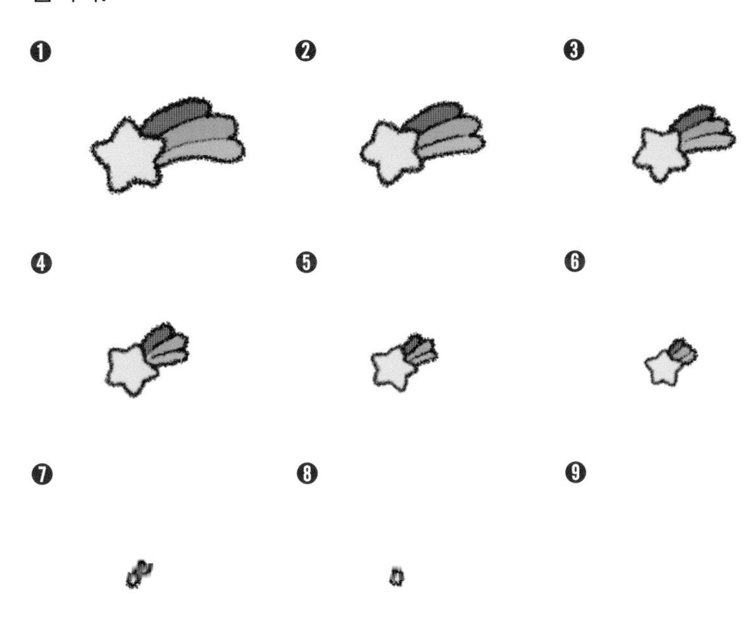

**02** 돌아가는 별 모션을 활용하면서 여기에 사이즈가 줄어드는 애니메이팅을 추가합니다. 여백의 [9] 레이어를 둔 이유는 완전히 사라지는 모션을 더욱 강조하기 위해서입니다. 점점 작아지는 별의 애니메이팅을 자연스럽게 이어가려면 이미지에서 보여지는 것과 같이 1번 별의 중심은 계속 같도록 유지해서 그려 줘야 합니다.

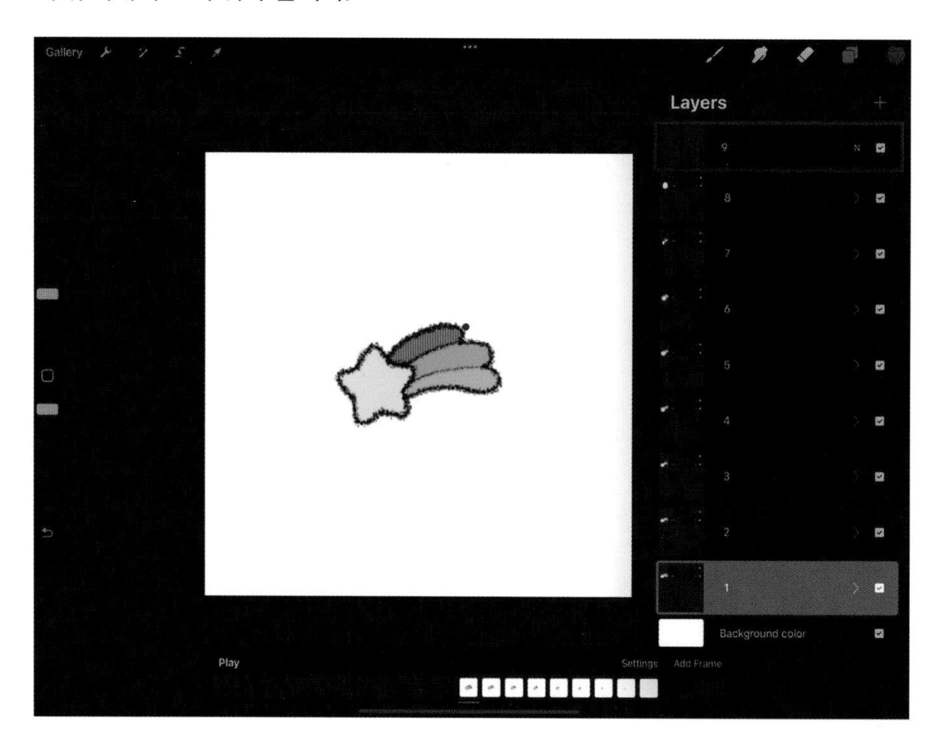

- 비어 있는 Layers 9를 만들어서 완전히 뿅! 하고 사라지는 느낌을 표현합니다.
- 점점 작아지는 별의 애니메이팅이 스므스하기 위해선 별이 작아져도 중심은 계속 같도록 그려야 합니다.

**03** [Actions]–[Canvas]에서 [Animation Assist] 버튼을 켜줍니다. 오른쪽 하단의 [Settings]에서 옵션을 설정합니다.

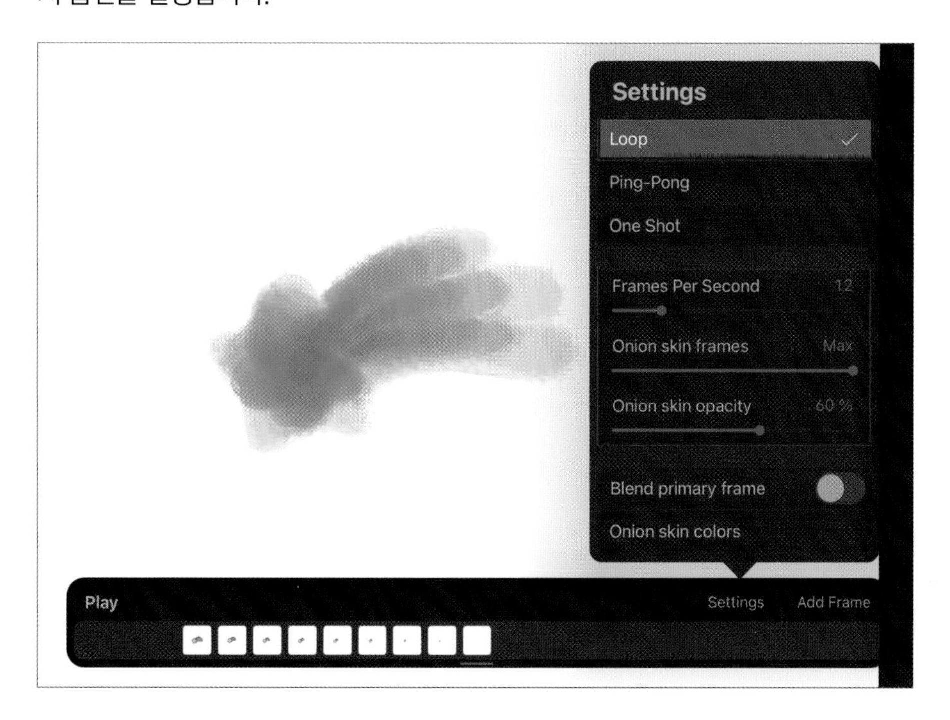


❶ Loop

❷ Frames Per Second – 12

❸ Onion skin frames – Max

❹ Onion skin opacity – 60%

중심을 벗어나서 별을 그리게 되면 재생할 때 별의 모션이 랙(Lag) 걸린 것과 같이 재현됩니다.

## 반짝이 애니메이팅하기

▶ **파일명** [예제폴더]–[File 03]–[반짝이]–[반짝이1~7.png]

**01** 작은 원부터 시작하여 반짝이가 흩어져서 사라지는 이미지를 각각 7개의 레이어에 그립니다. 마지막에 완전히 사라지는 움직임을 위해 8번 여백 레이어를 추가했습니다.

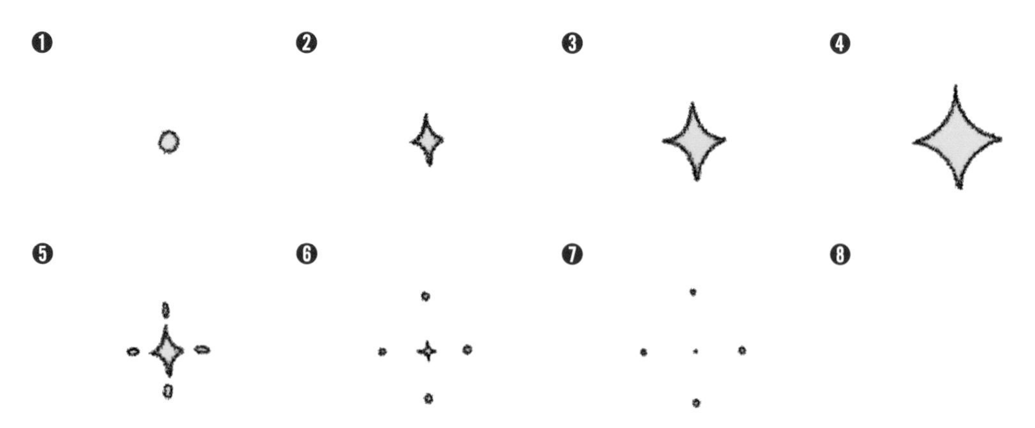


**02** [Actions]–[Canvas]에서 [Animation Assist] 버튼을 켜줍니다. 오른쪽 하단의 [Settings]에서 옵션을 설정합니다. 반짝이 애니메이팅이 잘 실행되는지 확인합니다.

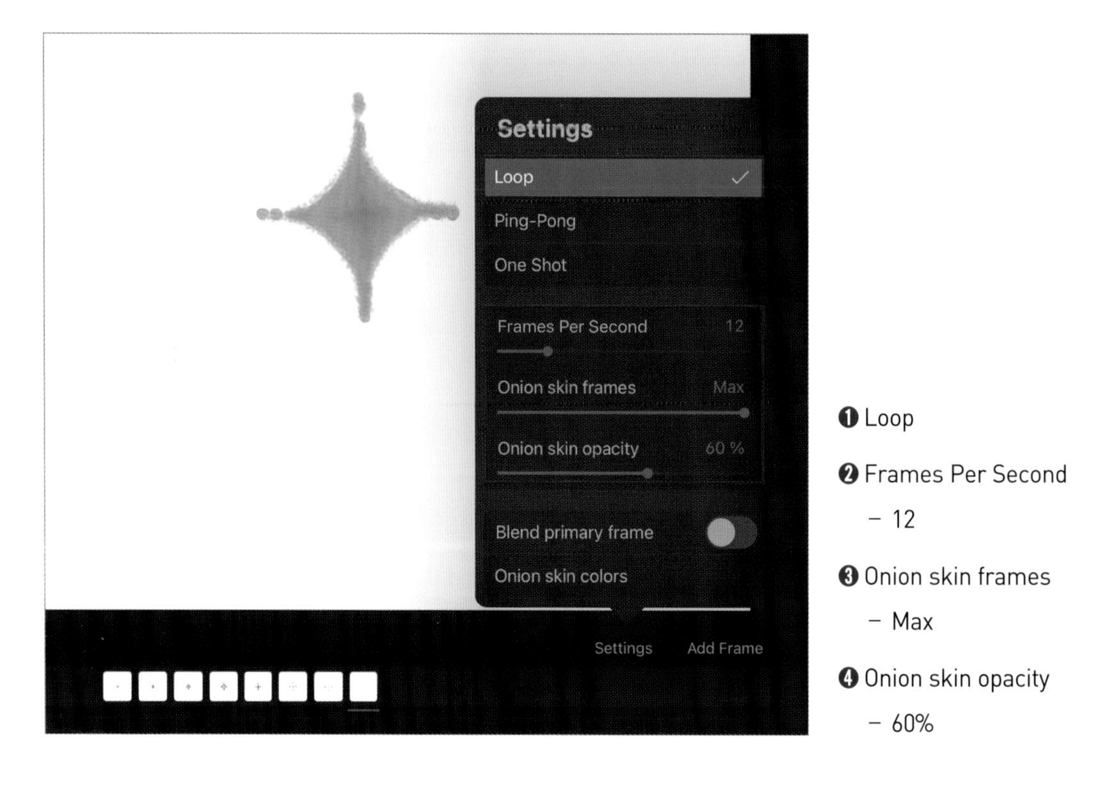


❶ Loop

❷ Frames Per Second
– 12

❸ Onion skin frames
– Max

❹ Onion skin opacity
– 60%

## 버블 팝 애니메이팅하기

▶ **파일명** [예제폴더]–[File 03]–[버블 팝]–[버블 팝1~6.png]

**01** 작은 물방울부터 시작하여 물방울이 흩어져 사라지는 이미지를 각각 6개의 레이어에 그립니다. 마지막에 완전히 사라지는 움직임을 위해 7번 여백 레이어를 추가했습니다.

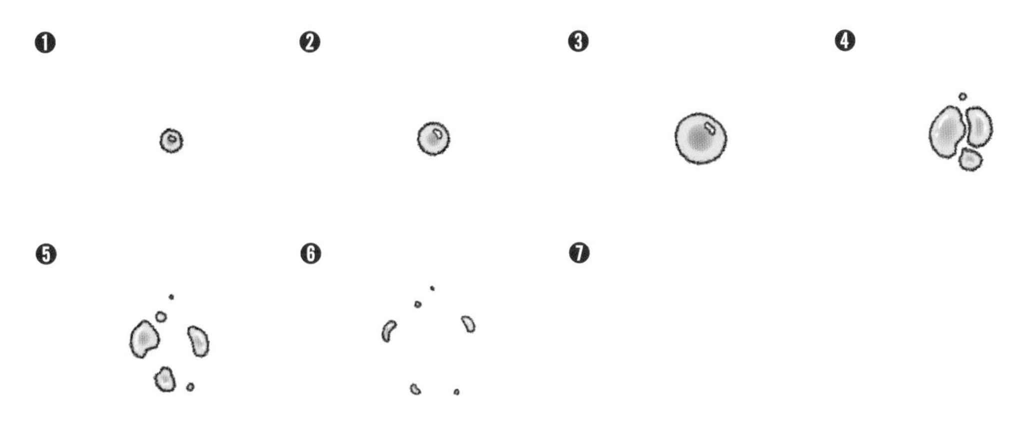


**02** [Actions]–[Canvas]에서 [Animation Assist] 버튼을 켜줍니다. 오른쪽 하단의 [Settings]에서 옵션을 설정합니다. 여백 레이어의 유지 지속 시간을 늘리고 싶어서 [Frame options]의 [Hold duration] 기능을 이용하여 [1]로 설정했습니다.

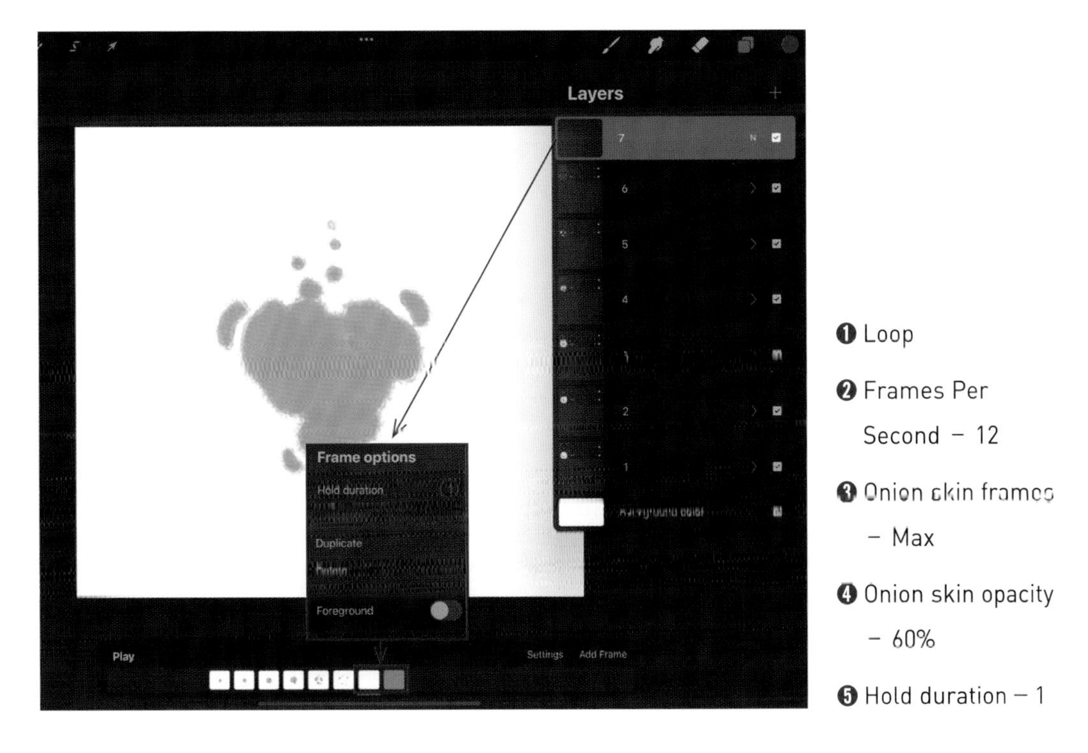

# 캐릭터 애니메이팅

간단히 눈을 깜박이는 애니메이팅부터 고개를 끄덕이는 동물 캐릭터까지 사람과 동물 캐릭터를 사용한 여러 애니메이팅 방법을 배워보아요.

## 눈 깜박이기

▶ **파일명** [예제폴더]–[File 03]–[눈]–[눈1~5.png]

**01** 다 뜬 눈부터 천천히 감기는 이미지를 5개의 레이어에 각각 그립니다.

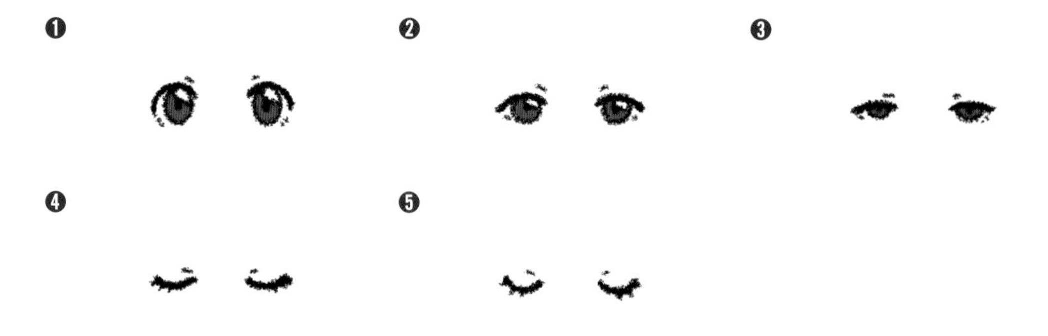


**02** 캐릭터의 눈 깜박임을 위해 [Actions]–[Canvas]에서 [Animation Assist] 버튼을 켜줍니다. 오른쪽 하단의 [Settings]에서 옵션을 설정합니다. 일러스트에 따라 유지 지속 시간이나 설정, 순서를 바꾸어 다양한 눈 깜박임을 연출할 수 있습니다.

❶ 유지 지속 시간 – 2

❷ Loop / Frames Per Second – 12

## 캐릭터에 대입해 보기

▶ **파일명** [예제폴더]–[File 03]–[캐릭터]–[캐릭터1~7.png]

**01** 앞서 그린 깜박이는 눈 이미지를 캐릭터에 응용해 7개의 레이어를 각각 생성합니다. 7번째 레이어는 2번째 레이어를 동일하게 사용합니다.

**02** 캐릭터의 눈 깜박임을 위해 [Actions]–[Canvas]에서 [Animation Assist] 버튼을 켜줍니다. 오른쪽 하단의 [Settings]에서 옵션을 설정합니다. 일러스트에 따라 유지 지속 시간이나 설정, 순서를 바꾸어 다양한 눈 깜박임을 연출할 수 있습니다.

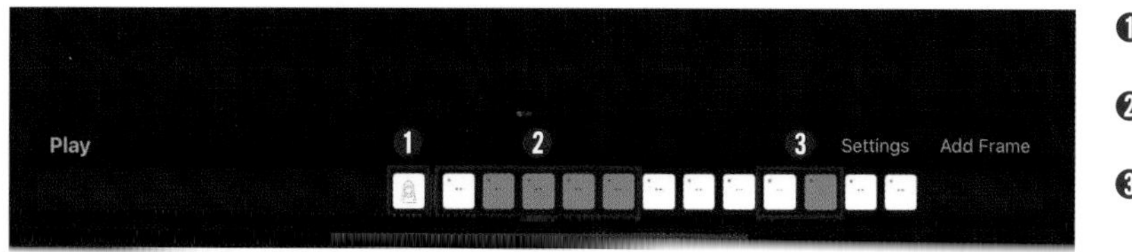


❶ character 배경 고정

❷ 유지 지속 시간 – 4

❸ 유지 지속 시간 – 1

## 캐릭터 손 흔들기

▶ **파일명** [예제폴더]–[File 03]–[캐릭터 손]–[캐릭터 손1~5.png]

**01** 전체적인 동작을 머릿속으로 생각하면서 [1] 레이어를 그리고 [2] 레이어에 이어지는 모션을 그립니다. 전체적으로 크게 움직이는 것은 손이지만, 손이 움직이면서 얼굴, 머리, 어깨도 함께 미세한 움직임이 있기 때문에 매 프레임마다 고정되어 있는 것 같은 부분도 아래와 같이 표현합니다.

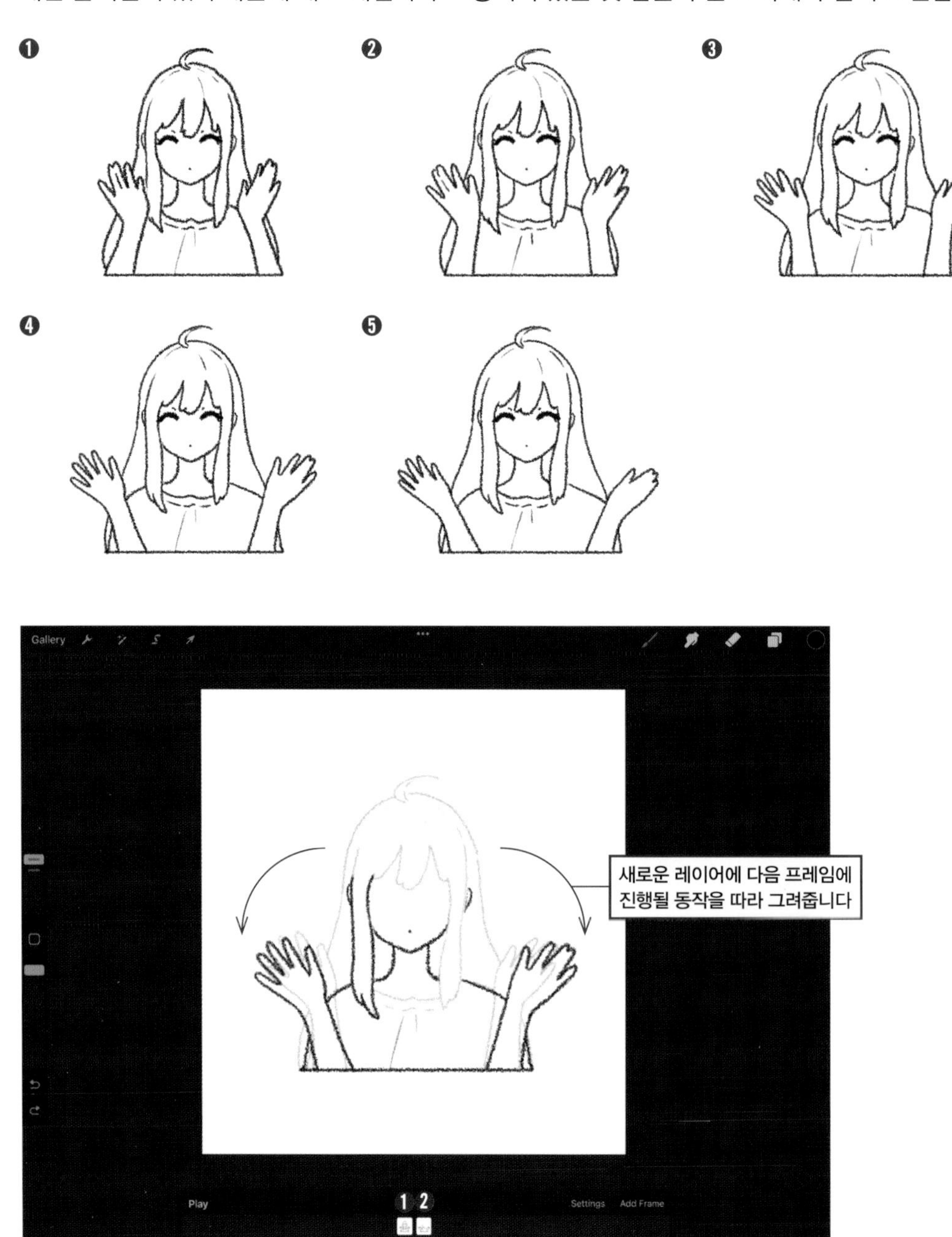

**02** 손 흔들기 동작을 그릴 때의 설정은 [Ping Pong] 재생, [Frames Per Second]는 [9]로 맞췄습니다.

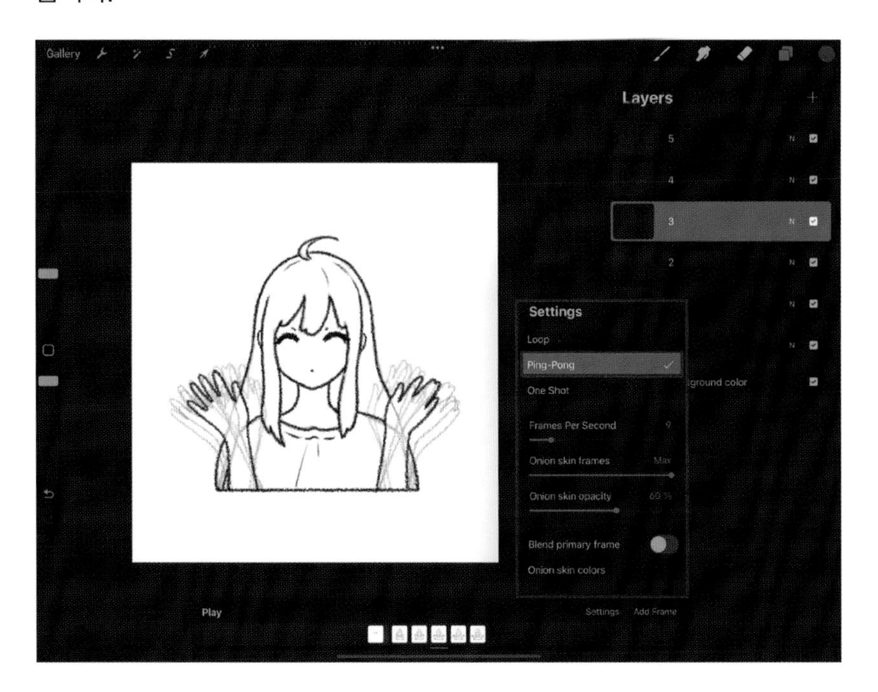

Ping Pong 재생 설정을 하여 자연스럽게 부메랑 재생으로 손을 위아래로 흔드는 애니메이팅을 합니다.

## 동물 캐릭터 애니메이팅하기

▶ **파일명** [예제폴더]–[File 03]–[동물 캐릭터]–[동물 캐릭터.png]

**01** 선화 색이 바뀌고 캐릭터가 웃는 애니메이팅을 진행해보도록 하겠습니다. 애니메이팅할 캐릭터를 그립니다.

**02** 선화 레이어를 터치한 후 [Alpha Lock]을 터치하여 켜줍니다. [Hard Airbrush]를 사용해 선의 색을 갈색으로 변경합니다.

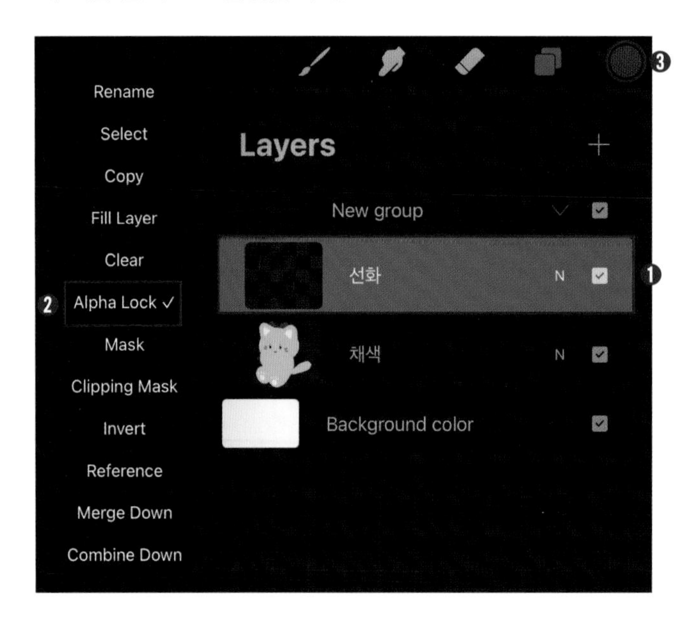

## 03 [Animation Assist]를 켜줍니다.

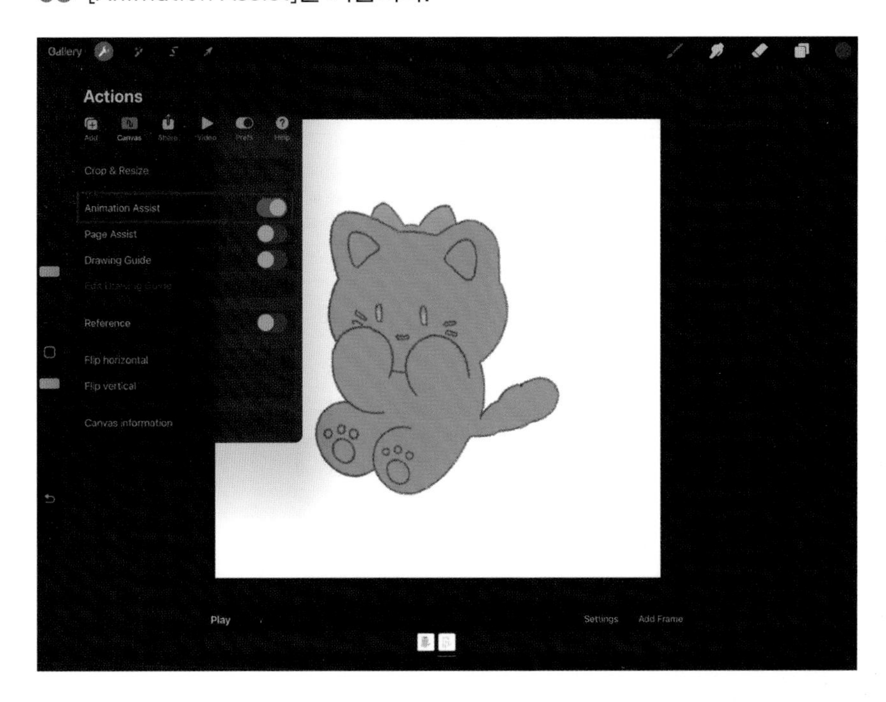


**04** 각 레이어가 하나의 프레임으로 적용되기 때문에 [채색] 레이어와 [선화] 레이어가 분리되어 있습니다. 이 두 레이어를 한 프레임으로 만들기 위해 [선화] 레이어와 [채색] 레이어를 오른쪽으로 쓸어서 전부 선택한 후 상단 메뉴에서 [Group]을 터치합니다.

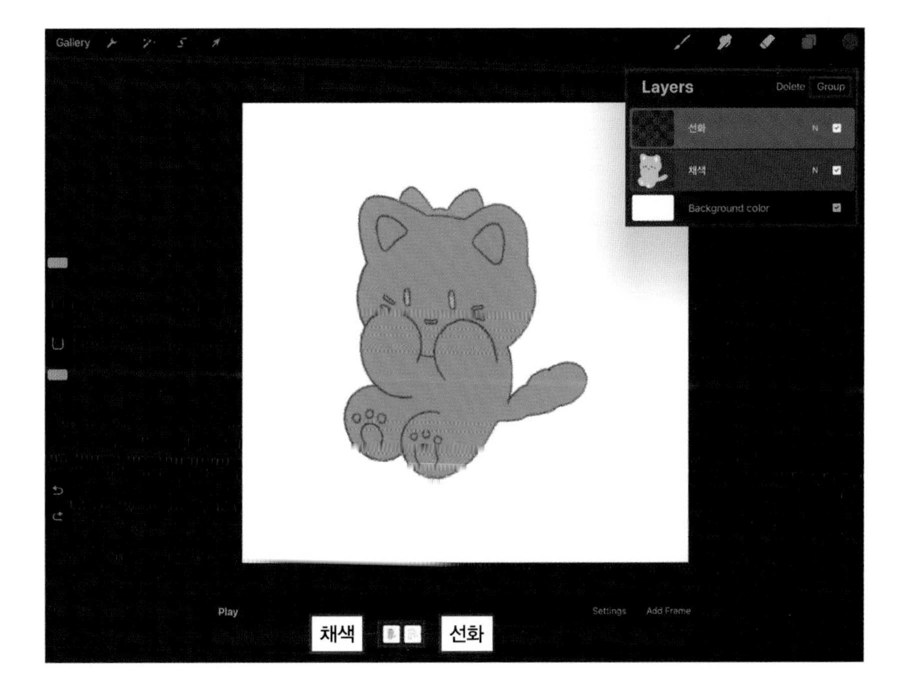

**05** [New group]이 나타납니다. 두 레이어가 한 프레임이 됩니다. [New group]의 이름을 '1'로 변경합니다.

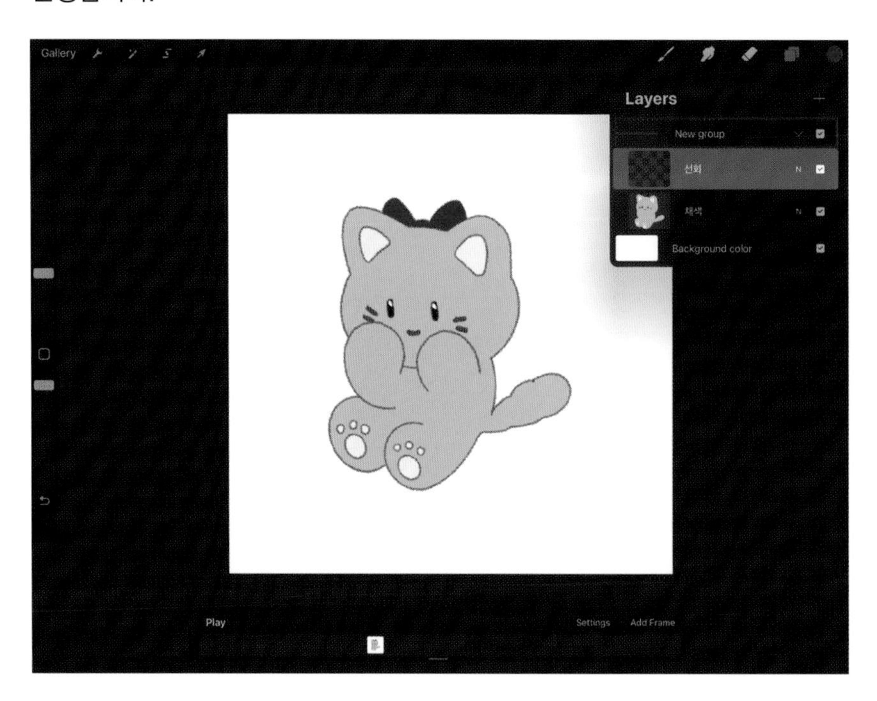


**06** 애니메이팅에 들어가기 위해 [채색] 레이어는 꺼둡니다. [Layers 추가](+)를 터치하여 [1] group 위에 새로운 레이어를 만듭니다.

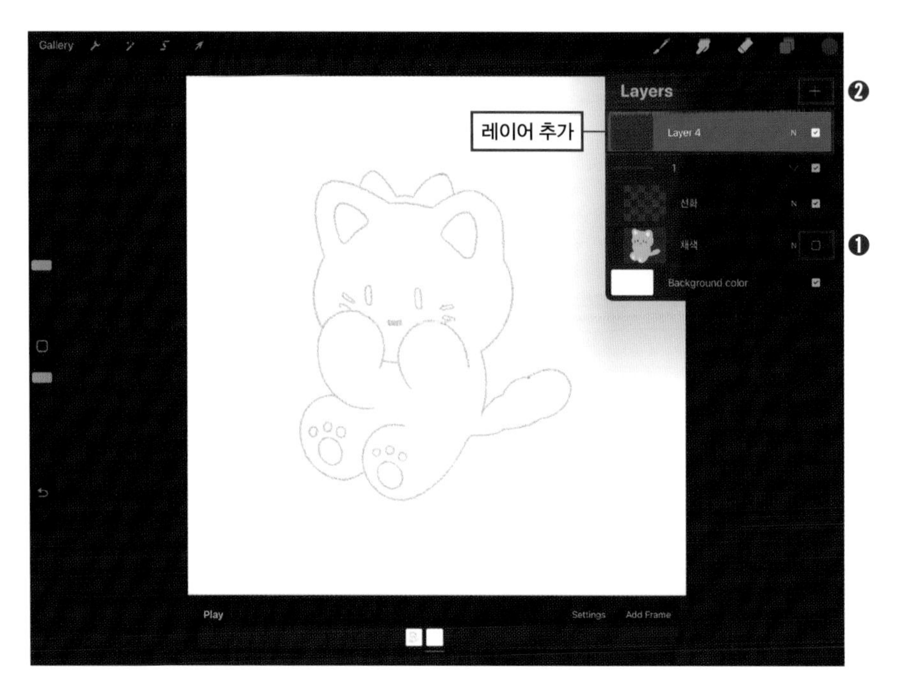

**07** 새로운 레이어에 [선화] 레이어의 캐릭터 실루엣을 고양이 얼굴까지만 똑같이 따라 그립니다.

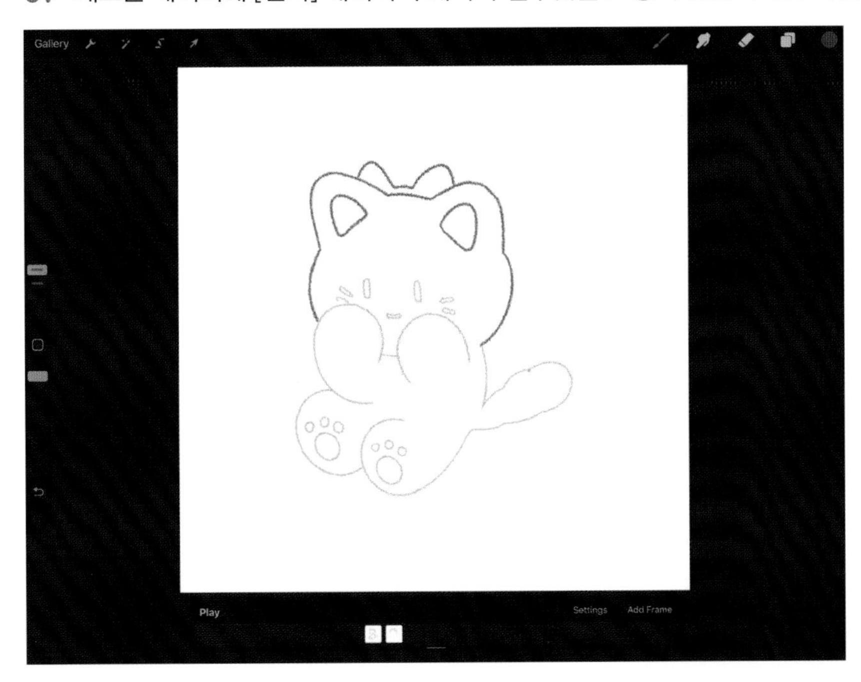


**08** 현재 작업하고 있는 레이어(Layer 4)를 선택한 후 위의 [화살표/변형]을 터치한 상태로 고개를 기우는 움직임을 상상하며 캐릭터의 얼굴을 아래로 살짝 틀어줍니다.

**09** 틀어진 상태로 나머지 실루엣을 똑같이 따라 그립니다. 웃는 모습을 표현하기 위해 캐릭터의 눈을 아래와 같이 그립니다.

**10** 이어서 새로운 레이어를 추가합니다. 이때 기존 레이어와 헷갈리지 않도록 첫 번째 그룹을 꺼둡니다.

**11** 새로운 레이어에 **08**과 같이 고양이의 머리 실루엣과 이번엔 손까지 따라 그립니다. [화살표/변형]을 선택해서 고개와 손을 더 아래 각도로 틀어줍니다. 캐릭터의 눈도 손에 파묻히도록 더 아래로 그려 줍니다.

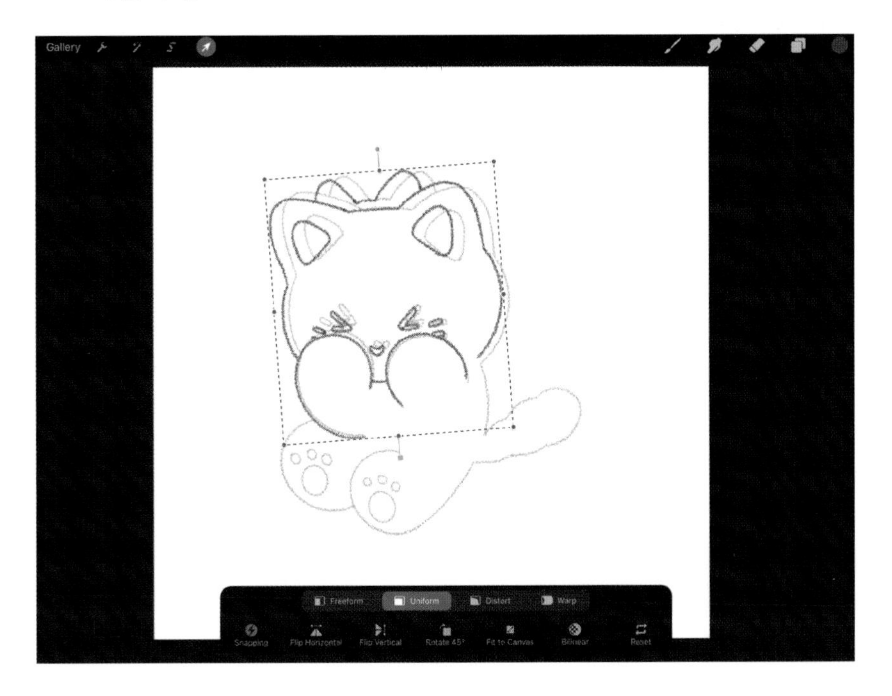


**12** 나머지 몸통은 똑같이 따라 그려줍니다.

**13** 다시 한 번 새로운 레이어를 생성한 후 앞서 같은 방식으로 고개를 더 숙이고, 눈을 더 아래로 그리고 몸통은 그대로 따라 그립니다.

**14** 완성된 애니메이팅 선화의 [Settings]를 모두 켜면 아래와 같이 나타납니다.

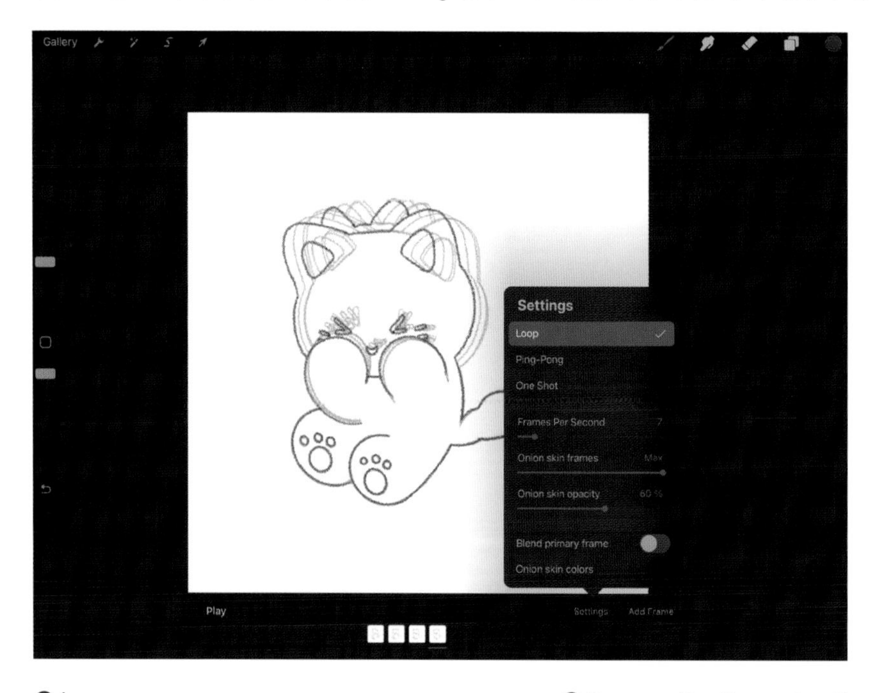


❶ Loop

❷ Frames Per Second – 7

❸ Onion skin frames – Max

❹ Onion skin opacity – 60%

**15** 채색에 들어가기 전 [1] group의 [채색] 레이어를 옆으로 쓸 듯 드래그하여 복사합니다.

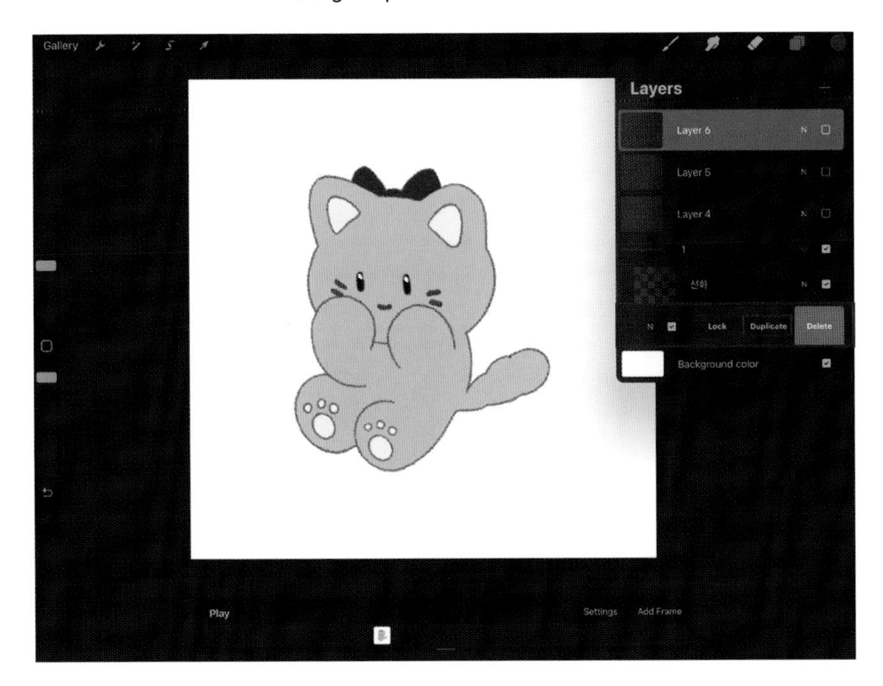


**16** 복제한 [채색] 레이어를 드래그해 가장 밑으로 옮깁니다.

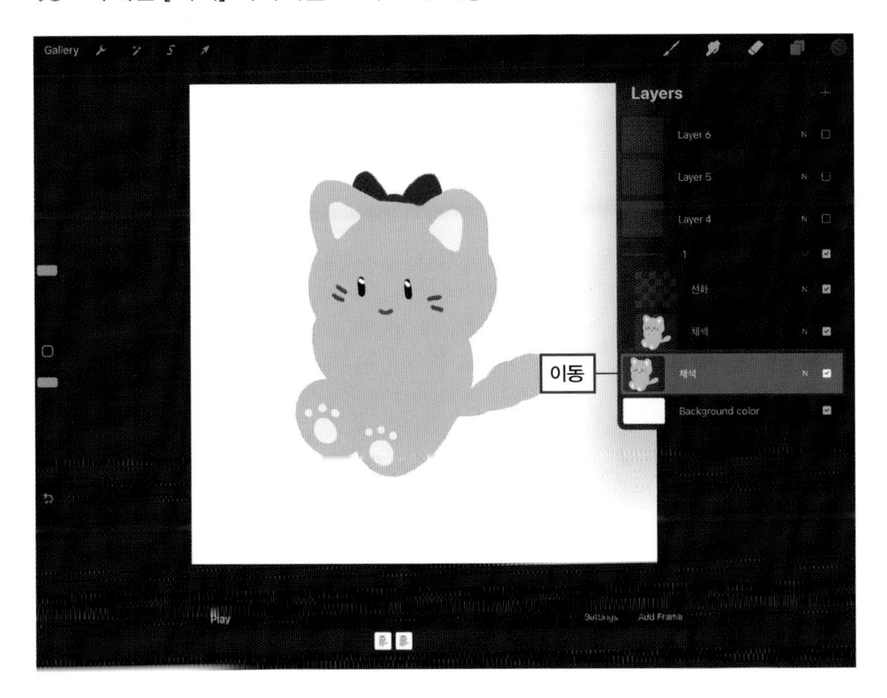

**17** [화살표/변형] 툴을 사용해 캐릭터가 겹치지 않는 부분으로 축소하여 배치합니다.

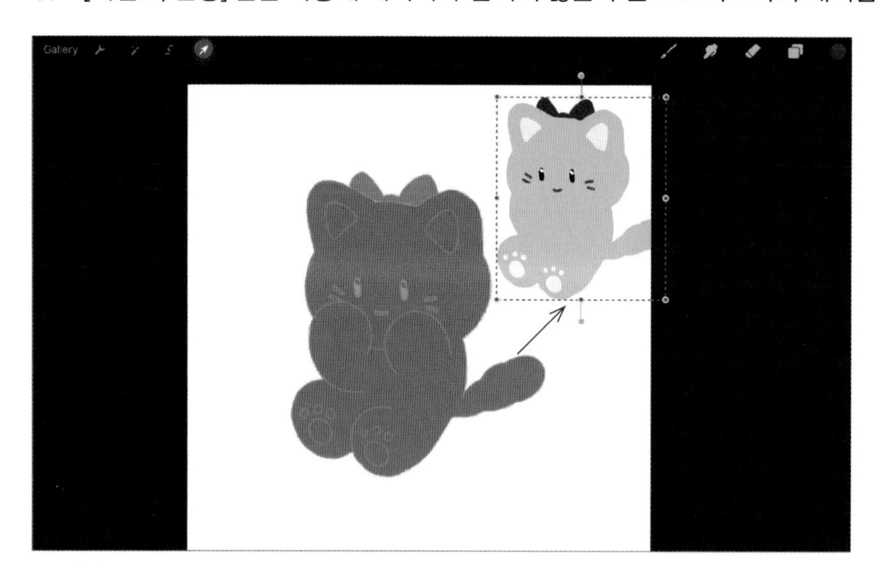


**18** 축소한 레이어를 타임라인에서 터치한 뒤 [Background]로 활성화합니다.

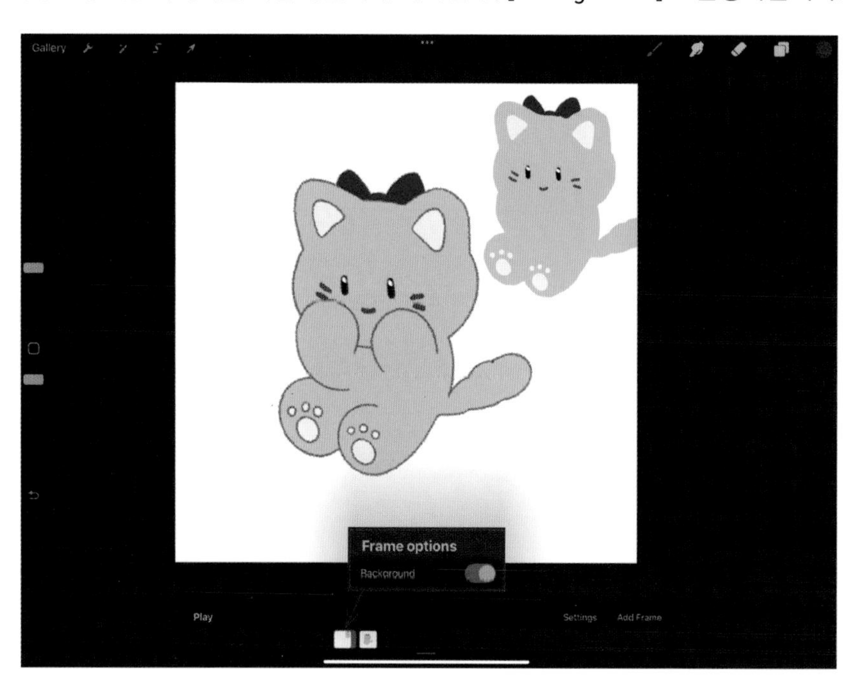

이렇게 하면 스포이드 기능을 사용해 채색할 때 금방 색을 뽑아 나머지 프레임의 채색이 빨라질 수 있습니다.

**19** 배경으로 고정된 레이어는 이미지에서 가장 아래에 고정된 것을 확인할 수 있습니다. 모든 프레임을 채색할 때까지 이 레이어는 활성화된 상태로 유지합니다. 앞서 [선화] 레이어와 [채색] 레이어를 새로 생성해 group 했던 것처럼 나머지 3개의 [선화] 레이어 아래에 채색할 새로운 레이어를 각각 생성한 후 [group]을 하여 [선화], [채색] 레이어를 각 프레임으로 만들어 줍니다. 이후 채색할 [2] group만 활성화시키고 나머지 레이어들은 비활성화합니다.

순서는 상관없지만, 저는 레이어와 group의 순서를 헷갈리지 않기 위해 Rename 기능으로 각 group과 레이어의 이름을 설정해 주고 있습니다. 많은 프레임의 애니메이션을 그릴 때 헷갈리는 실수를 줄일 수 있습니다.

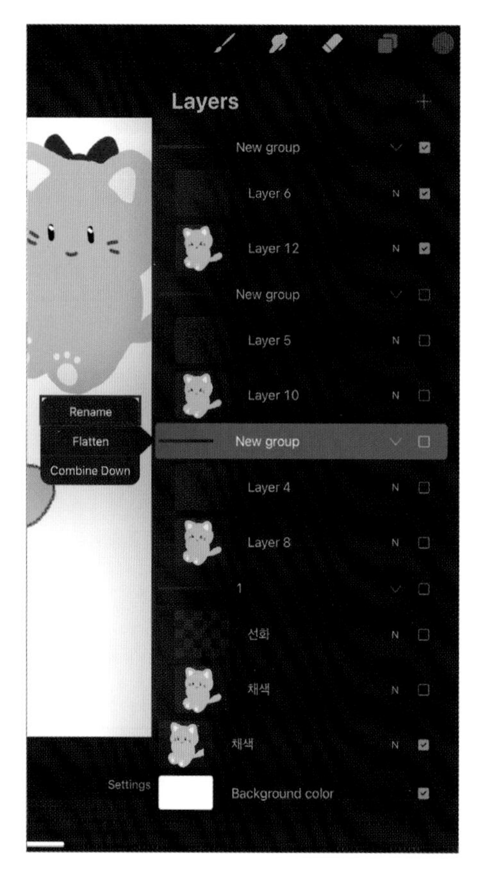

**20** 앞서 채색했던 것과 같은 방법으로 나머지 레이어를 채색합니다. 모든 프레임의 채색이 완성되면 고정 레이어를 [Delete] 합니다.

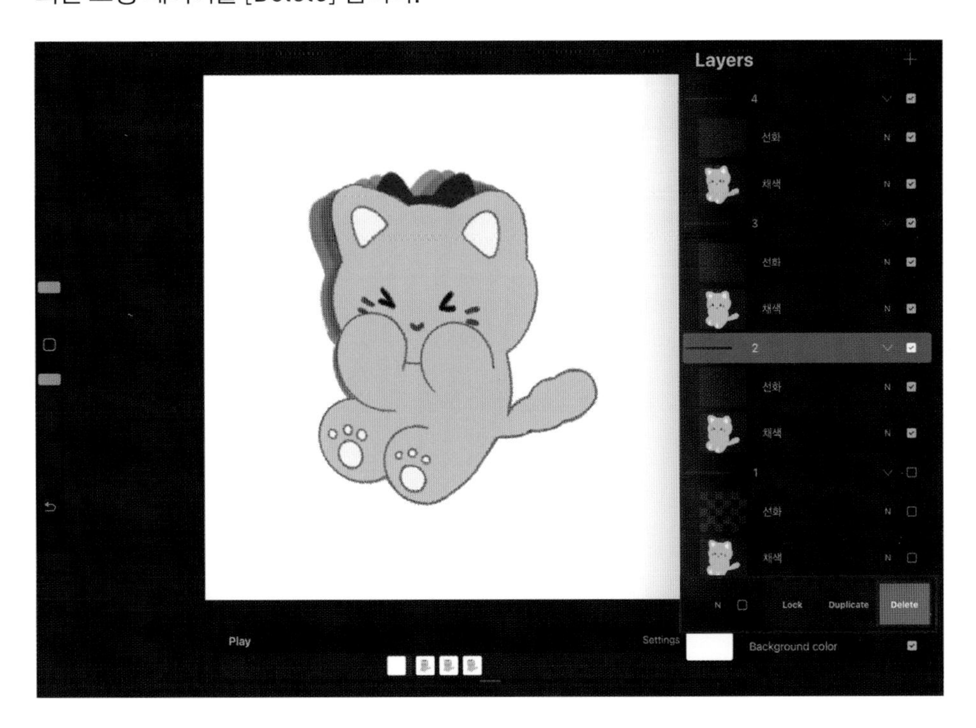


**21** 애니메이팅 확인을 위해 모든 프레임을 활성화하고 재생하여 잘 움직이는지 확인합니다.

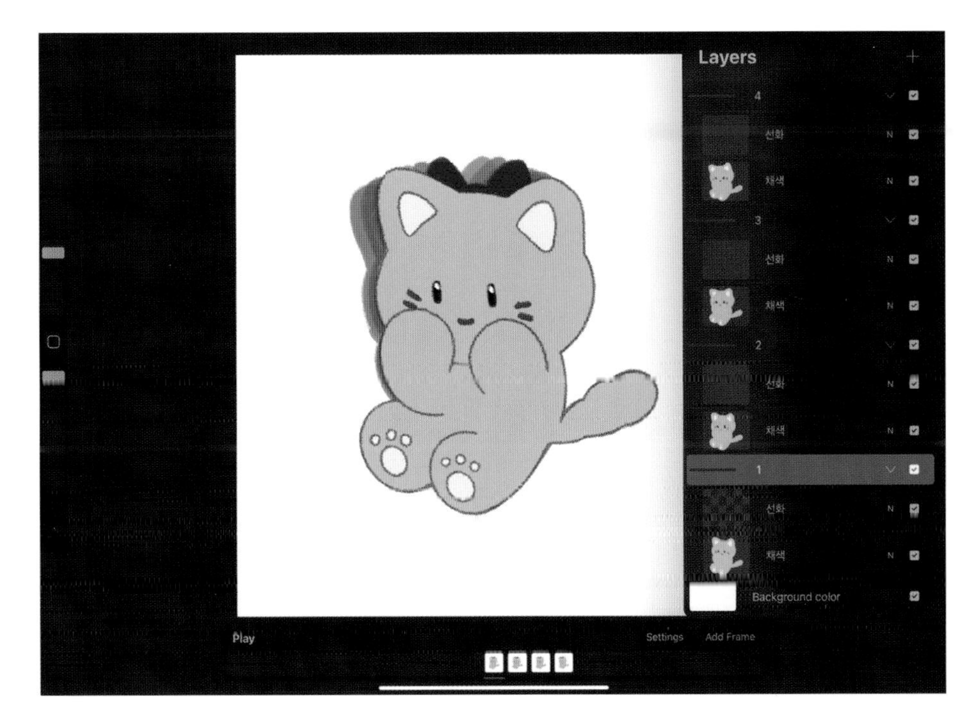

# 스폿 일러스트에 애니메이팅 추가하기

File 02의 Step 05에서 그린 스폿 일러스트에 간단한 애니메이션을 추가해 보도록 하겠습니다.

## 스폿 일러스트 애니메이팅하기

스폿 일러스트 모니터의 게임 시작 전 화면을 표현하는 모션을 추가하려고 합니다. 크기가 변화하는 하트와 와글와글 움직이는 글씨 느낌을 살리는 애니메이팅을 표현해 보도록 하겠습니다.

▶ **파일명** [예제폴더]–[File 03]–[스폿 일러스트]–[스폿 일러스트.png]

**01** 움직임이 없는 배경은 분리해서 고정할 수 있도록 준비합니다.

**02** [Settings]는 [Loop] 재생, [Frames Per Second]는 8로 맞추었습니다. 배경의 [Frame options]-[Background]는 활성화하여 고정시킵니다.

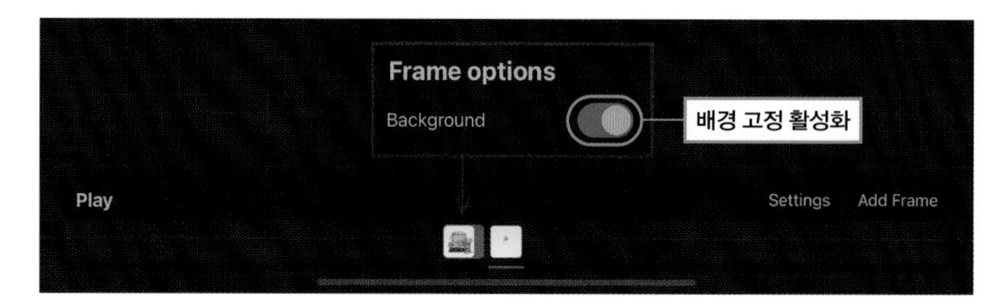


**03** 글귀에 미세하게 와글와글한 움직임을 넣기 위해 간단하게 5 프레임 정도 프레임을 따라 그려 줍니다. 글씨가 잘 보이도록 배경은 잠시 비활성화합니다.

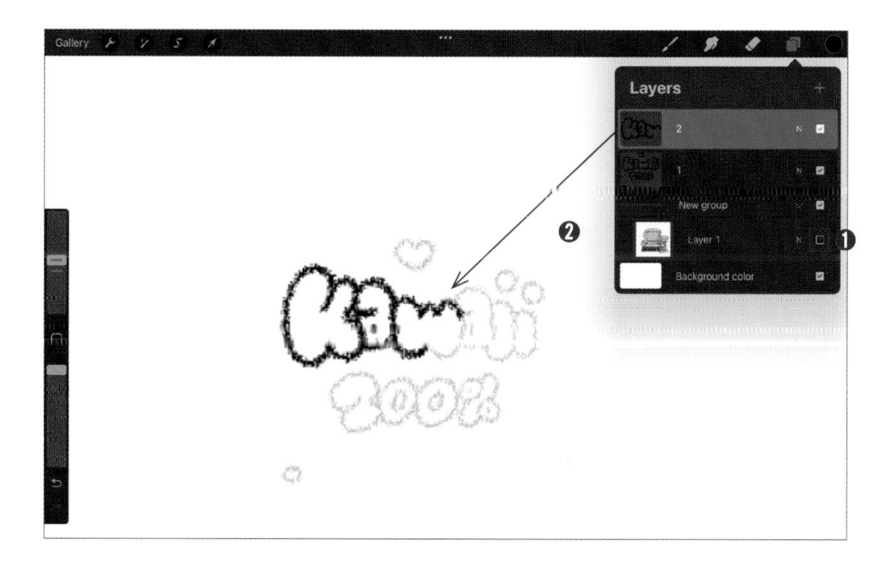

04 하트의 중심이 벗어나지 않도록 주의하면서 애니메이팅합니다. 로딩 바는 매 프레임마다 하나씩 추가해서 그립니다.

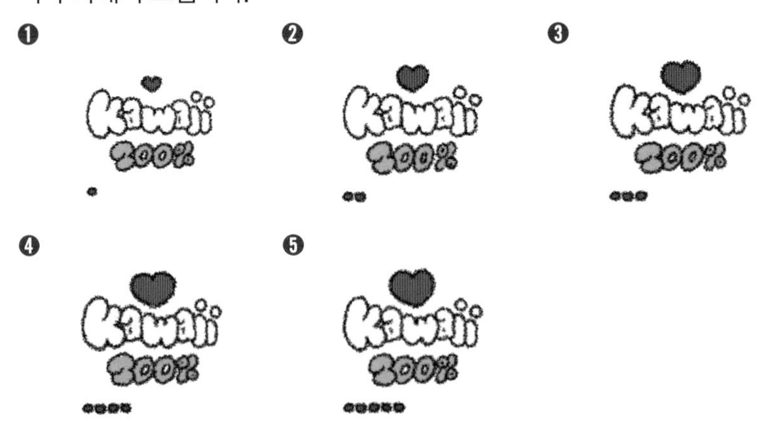

크기의 변화를 주는 애니메이션을 만들 때는 중심이 고정되어 있어야 합니다.

05 이렇게 간단하게 5 프레임으로 아기자기한 모션을 추가할 수 있습니다.

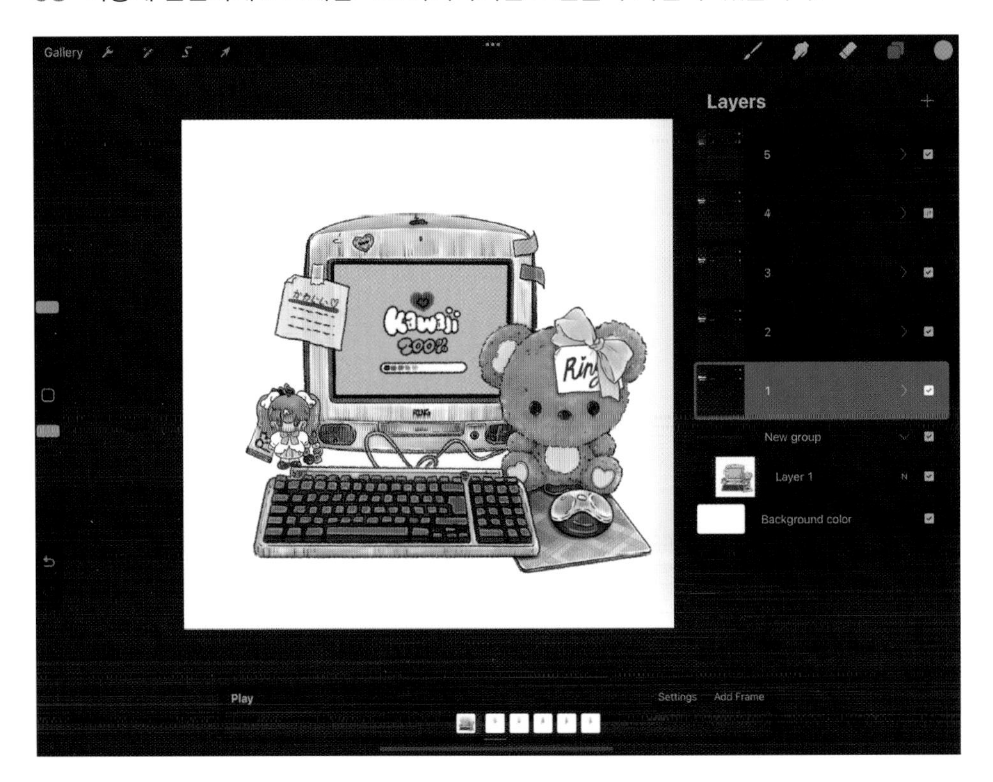

# 04 벽면 일러스트에 애니메이팅 추가하기

File 02의 Step 06에서 그린 벽면 일러스트에 캐릭터와 선 동작 애니메이팅을 추가해서 라이브 일러스트를 완성해 보겠습니다.

## 모니터 화면 속 애니메이팅하기

▶ **파일명** [예제폴더]–[File 03]–[벽면 일러스트]–[벽면 일러스트.png]

**01** 스폿 일러스트 때와 같이 움직임이 없는 배경은 고정해 줍니다. 설정은 [Loop] 재생, [Frames Per Second]는 [10]으로 했습니다.

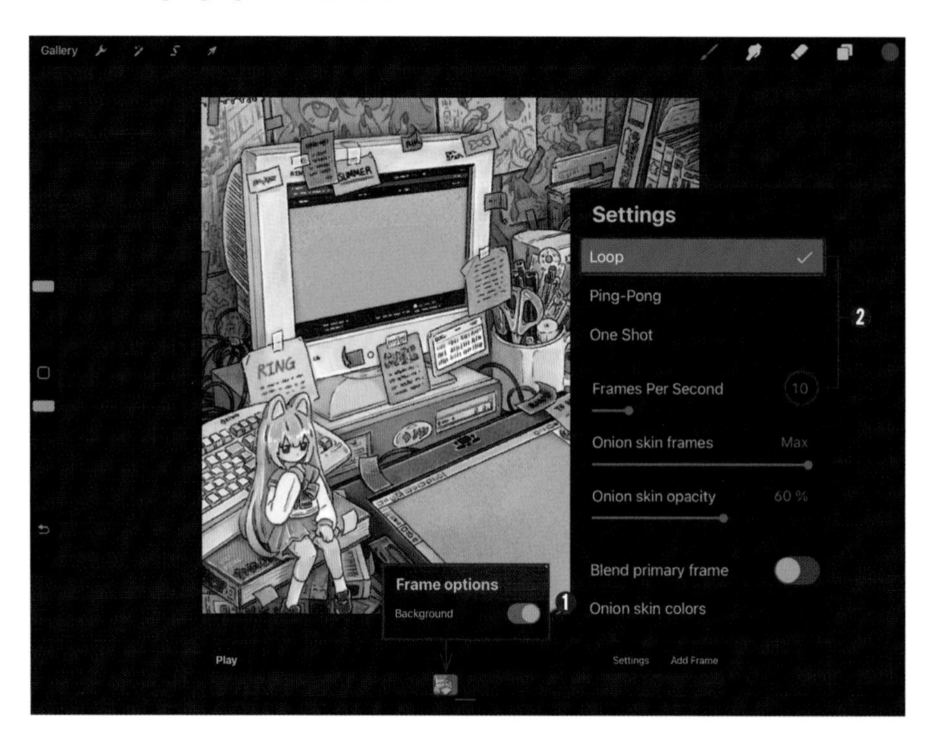


**02** 9개의 프레임으로 선을 그어주는 손 동작 모션을 그립니다.

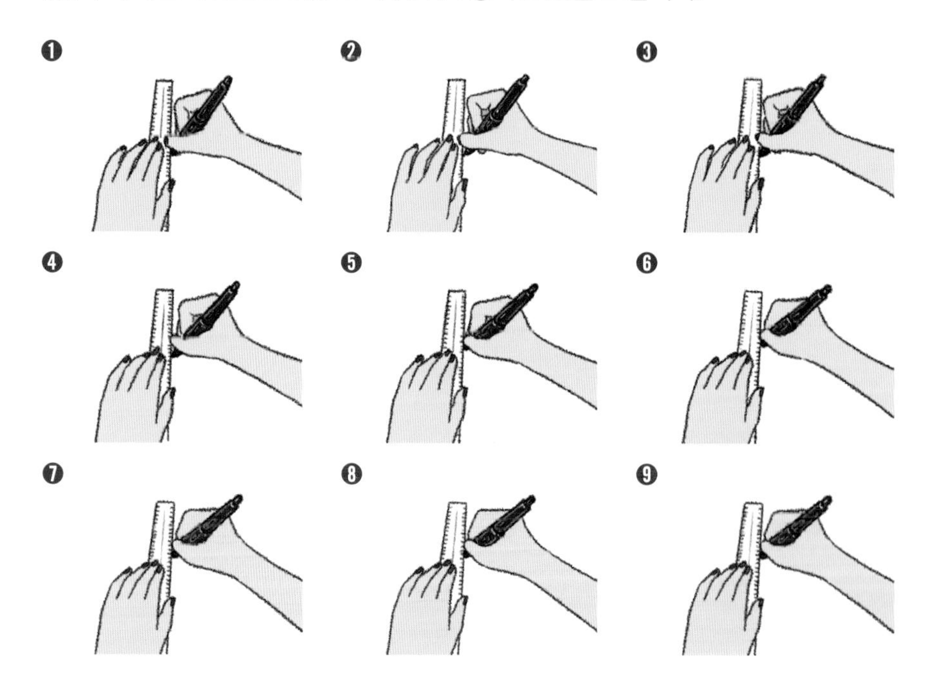

**03** 이번에는 아이돌의 안무를 애니메이팅해서 일러스트에 추가하도록 하겠습니다. 안무 동작들을 애니메이팅할 때 영상 레퍼런스를 찾아 움직임이 어떻게 이어지는지 꼼꼼히 관찰하며 그립니다. 영상을 느리게 보며 표현해내고 싶은 동작들을 잘 살펴보도록 합니다. 우선 생각해둔 캐릭터의 동작을 러프 스케치하며 재생했을 때 움직임에 어색한 부분은 없는지 잘 살펴봅니다.

**04** 캐릭터 애니메이션 러프 스케치를 합니다(총 26 프레임).

**05** 애니메이션 러프 스케치의 동작에 문제가 없다면 그 위에 본격적으로 캐릭터 선화를 따줍니다. 애니메이션 러프 때와 같이 선화를 그릴 때도 움직임이 자연스럽게 이어지는지 계속 확인하면서 애니메이팅을 해줍니다.

**06** 선화와 채색이 완성된 캐릭터 애니메이팅입니다(총 26 프레임).

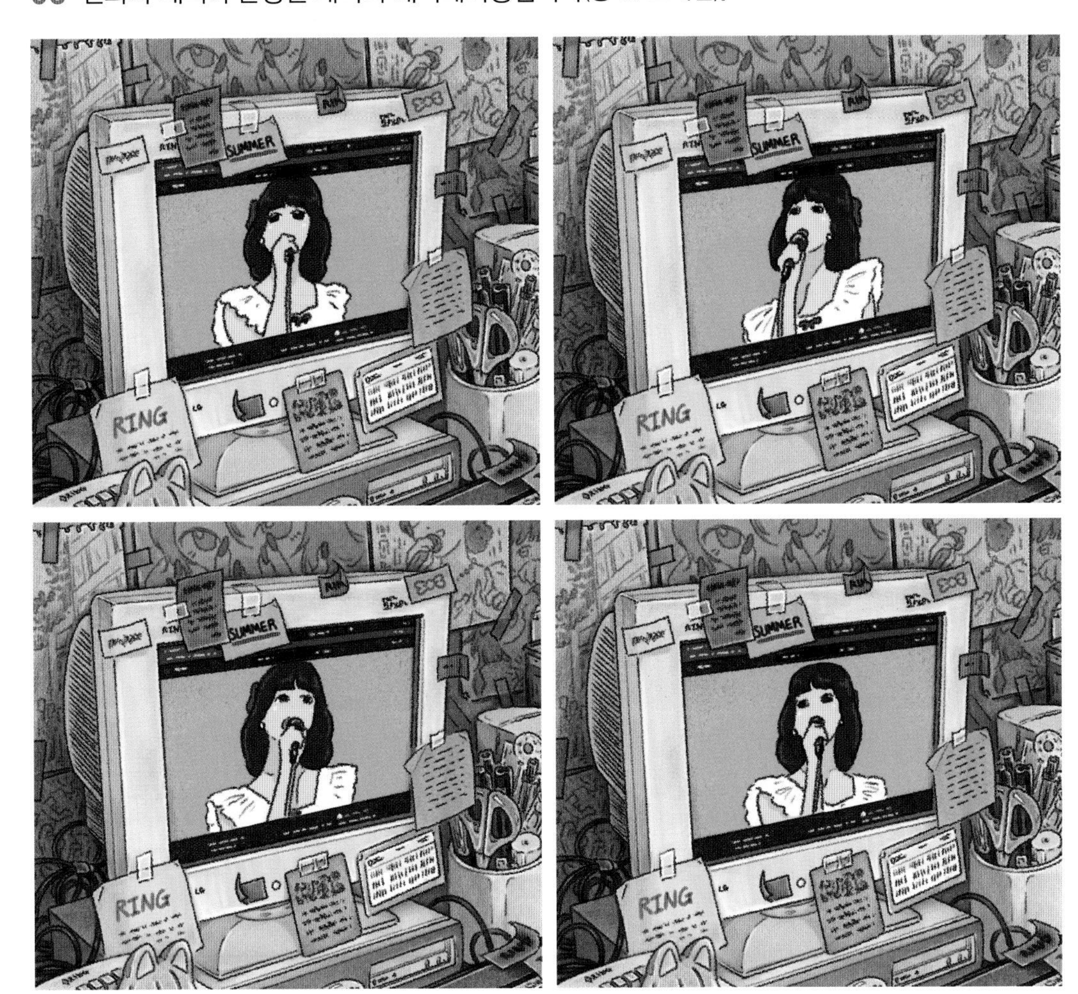

**자투리 TIP** 레이어를 [Group] 기능으로 묶으면 아래와 같이 묶인 레이어들이 하나의 프레임으로 인식됩니다. 즉, 여러 개의 레이어를 Group함으로써 하나의 프레임으로 만들 수 있습니다.

**07** 현재 캐릭터 애니메이션의 프레임은 26개, 손동작 애니메이션의 프레임은 9개입니다. 이렇게 여러 다른 모션이 한 일러스트에 동반된다면 각 동작들이 자연스럽게 움직일 수 있는 최적의 프레임 수를 미리 계산해 주는 것이 좋습니다.

**08** 캐릭터 애니메이션과 손동작 애니메이션을 원하는 순서에 맞게 서로 한 프레임이 될 수 있도록 [Group] 합니다. 즉, 캐릭터 애니메이션 Group에 순서대로 손 동작 애니메이션을 포함시켜 줍니다.

**09** 벽면 일러스트를 활용해서 캐릭터의 모션과 손동작이 추가된 라이브 일러스트가 완성되었습니다.

# 방 일러스트 속 캐릭터 애니메이팅 추가하기

앞서 'File 02'의 'Step 06'에서 그린 벽면 일러스트를 생동감 넘치는 라이브 일러스트로 만들기 위해 캐릭터에 눈 깜박임과 움직이는 손 동작을 추가해 보도록 하겠습니다.

## 일러스트 속 캐릭터 애니메이팅하기

▶ 파일명 [예제폴더]–[File 03]–[방 일러스트]–[방 일러스트.png]

01 일러스트 파일을 불러옵니다. [Settings]는 [Ping–Pong] 재생, [Frames Per Second]는 [8]로 맞춥니다.

**02** 캐릭터 베이스가 이미 일러스트에 있기 때문에 러프 스케치 없이 바로 애니메이팅에 들어갑니다. 애니메이팅을 할 때에는 머릿속에 있는 동작을 상상해서 애니메이션에 그대로 재현해 주는 것이 중요합니다(총 8 프레임).

**03** 눈 깜박임 일러스트 또한 러프 스케치 없이 바로 애니메이팅에 들어갑니다(총 8프레임).

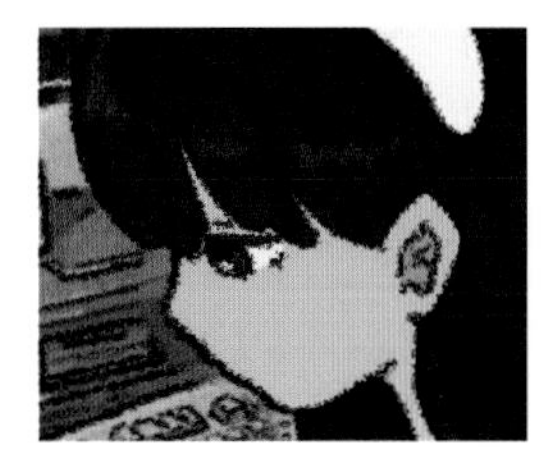

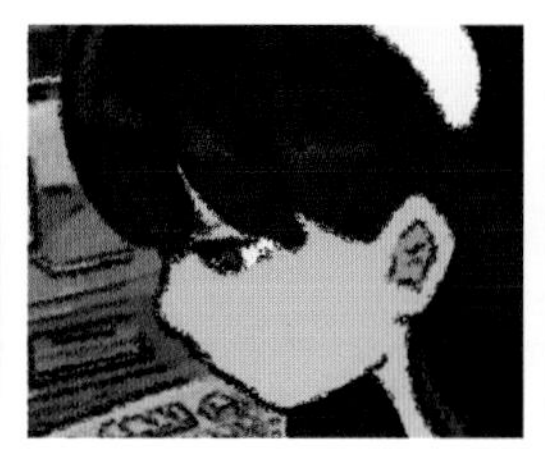

**04** [Ping-Pong] 재생으로 레이어 번호 순서는 1-2-3-4-5-6-7-8-7-6-5-4-3-2-1번입니다. 이 순서대로 돌아가면서 무한 재생됩니다.

Ping Pong 재생은 말 그대로 왔다 놀아가는 설정이기 때문에 손 흔들기와 같은 움직임이 있는 애니메이션을 만들 때 사용하기 좋습니다.

**05** 이렇게 해서 방 일러스트 속의 캐릭터들도 애니메이팅해 보았습니다. 소소한 애니메이션만 추가해도 살아 움직이는 라이브 일러스트를 완성할 수 있습니다.

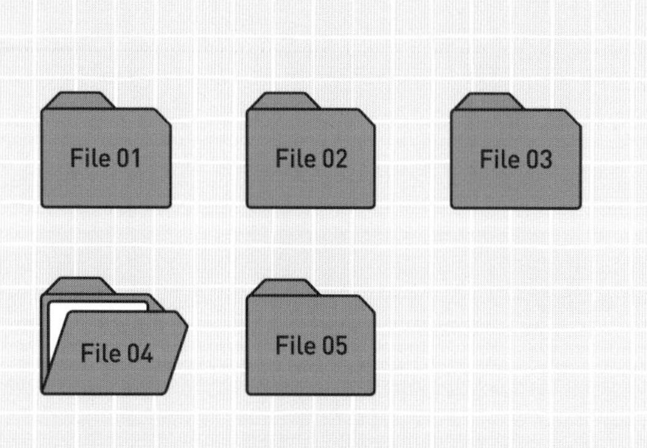
File 01
File 02
File 03
File 04
File 05

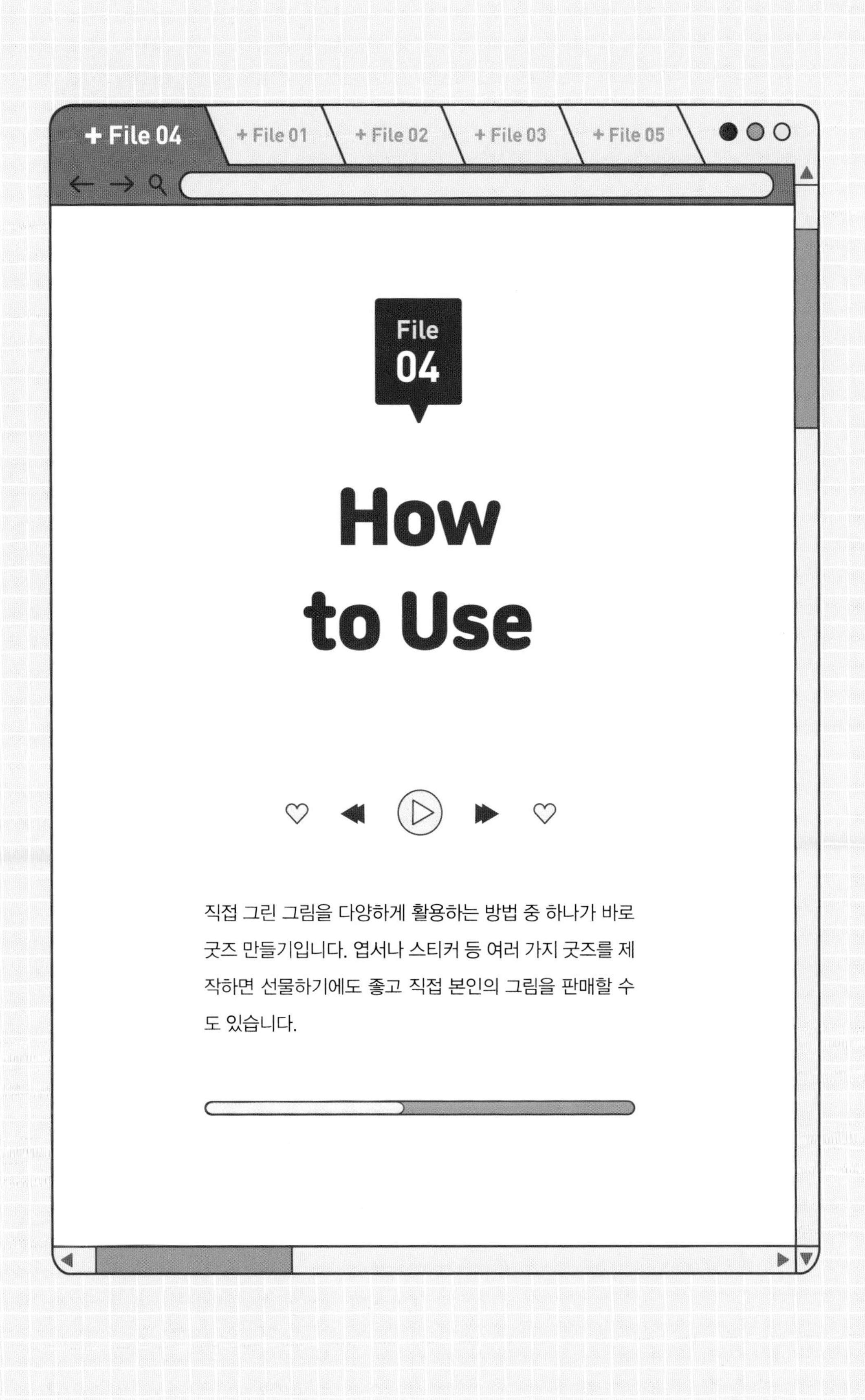


File 04

# How to Use

직접 그린 그림을 다양하게 활용하는 방법 중 하나가 바로 굿즈 만들기입니다. 엽서나 스티커 등 여러 가지 굿즈를 제작하면 선물하기에도 좋고 직접 본인의 그림을 판매할 수도 있습니다.

# 나만의 엽서 만들기

엽서는 일러스트만 있다면 바로 제작이 가능할 정도로 도전하기 쉽습니다. 주로 인쇄 사이트를 통해 주문하여 인쇄합니다. 사이즈는 임의로 설정이 가능하기 때문에 본인의 그림에 맞춰 지정하면 됩니다.

**01** 인쇄 업체에서 지정 사이즈에 맞는 일러스트레이터 ai/포토샵 psd 파일 템플릿의 도안을 제공합니다. 이 템플릿에서 재단선도 함께 보여 주기 때문에 일러스트가 얼마나 재단이 되는지 확인하고 발주를 넣도록 합니다. 기본적으로 인쇄 사이트에서 지정해주는 엽서 사이즈는 각 업체마다 조금씩 다르지만 100mm×148mm입니다.

제가 자주 사용하는 성원애드피아 사이트를 기준으로 설명합니다. 자신이 직접 사이즈를 지정하고 싶다면 [직접 입력] 버튼을 클릭해 사이즈를 입력하면 됩니다.

참고로 엽서는 인쇄될 때 끝 단의 2~3mm 정도 재단되기 때문에 이 부분을 염두에 두고 넉넉한 사이즈로 작업하도록 합니다. 또한 모든 작품의 인쇄 시 해상도 DPI는 기본 300이 넘도록 설정되어 있어야 인쇄가 선명하게 됩니다.

02 [디지털인쇄] 탭-[디지털엽서/상품권]을 차례대로 클릭합니다. [인디고 인쇄] 탭에서 원하는 옵션을 선택한 후 [템플릿 다운로드]를 클릭합니다.

03 주어진 탬플릿에 본인의 작업물을 넣어 업체에서 요구하는 대로 저장한 후 주문합니다.

**04** 일러스트 엽서가 완성됩니다.

RGB가 아닌 CMYK로 인쇄되기 때문에 색감을 잘 확인하도록 합니다. 본인의 작업물에 맞는 종이 재질을 찾는 것도 중요합니다. 저는 주로 몽블랑 종이를 사용합니다.

Step 02

# 스티커 만들기

스티커를 처음 제작하는 사람들에게 어려운 부분은 바로 칼 선 만들기입니다. 스티커의 칼 선을 만들 때에는 프로크리에이트 작업물을 PNG로 저장하여 일러스트레이터로 불러와서 백터화시킨 후 만들어야 합니다.

**01** 프로크리에이트에서 스티커로 만들 작업물을 캔버스에 배치합니다. 원본 파일을 복제한 후 [실루엣]으로 레이어 이름을 변경합니다. 이 레이어를 [Alpha Lock]을 한 다음 한 가지 색으로 덮어 버립니다. 그림의 선이 깔끔하지 않거나 채색이 안된 빈 공간이 있다면 [Alpha Lock]을 풀어준 뒤 같은 색으로 깔끔하게 칠해 줍니다. ❸과 같이 애매하게 빈 공간들은 예시와 같이 채워야 추후 일러스트레이터로 불러와 칼 선을 작업할 때 훨씬 깔끔하게 만들어집니다.

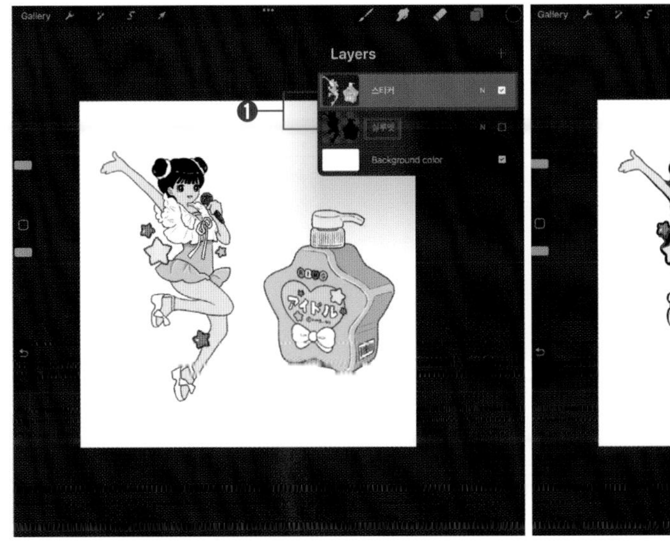


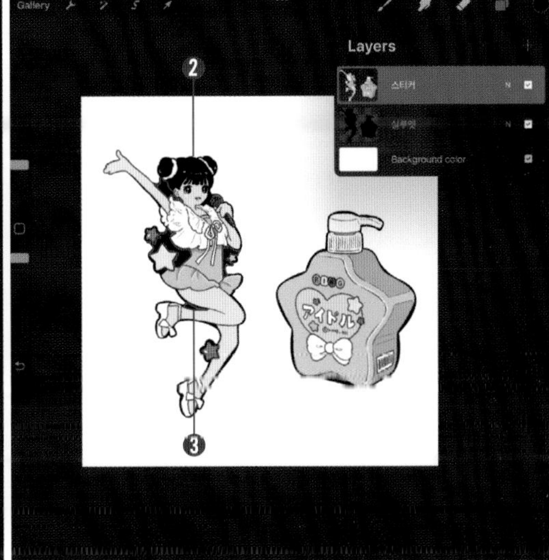

지루리 TIP

스티커 제작 시 칼 선을 자동으로 만들어주는 업체도 있으니 작업이 어렵다면 업체의 도움을 받아 보도록 합니다.

**02** 캔버스의 배경을 비활성화시킵니다. 이렇게 해야 png로 저장할 때 배경 없이 스티커 아이콘만 저장됩니다. [스티커], [실루엣] 레이어를 각각 png로 저장합니다.

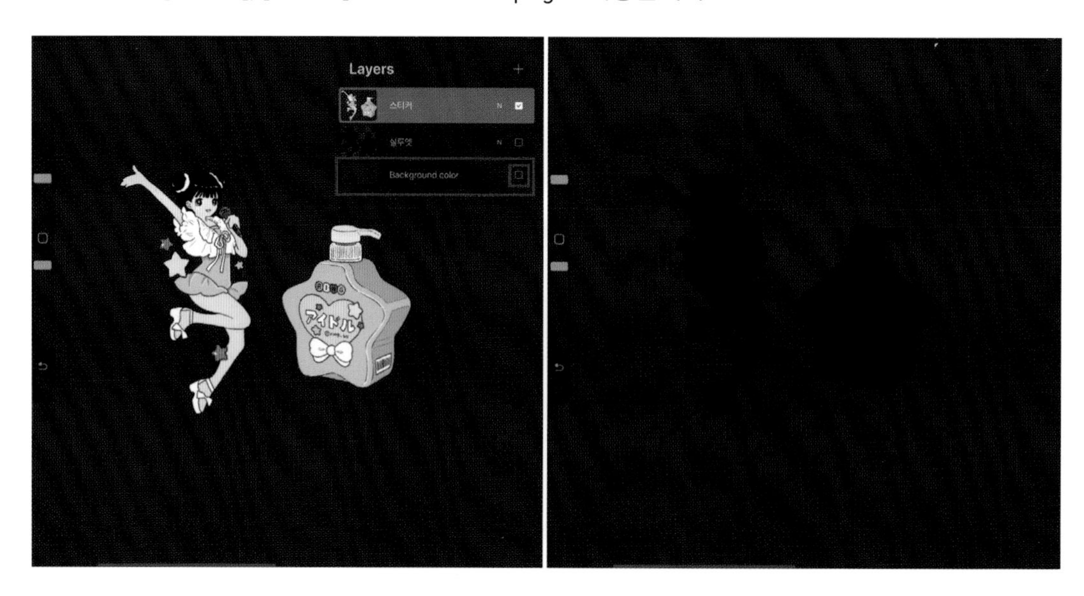


**03** 일러스트레이터에서 이미지를 불러옵니다. [칼선], [스티커], [실루엣] 레이어를 구분해서 정렬합니다.

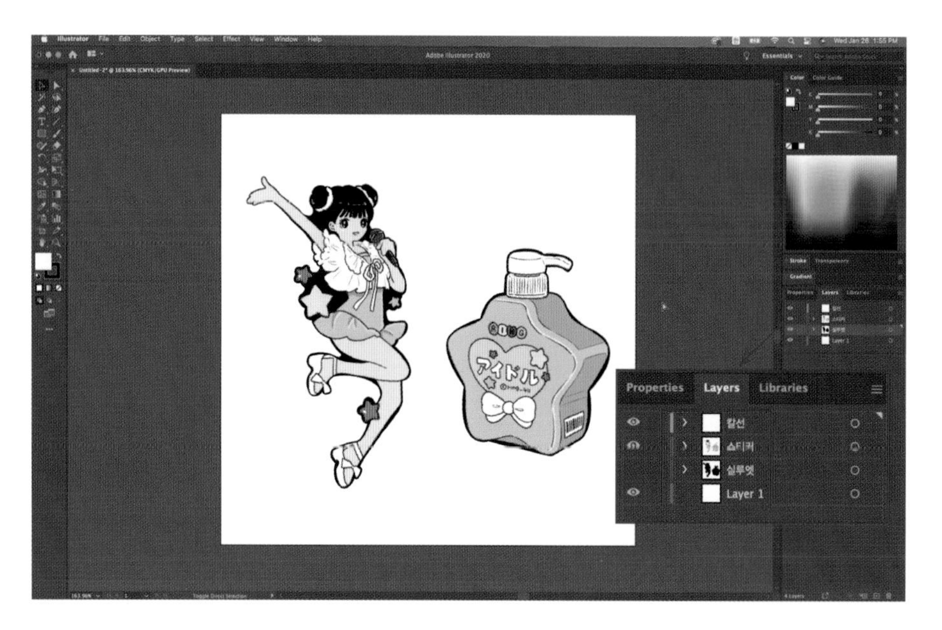

**04** [스티커] 레이어를 비활성화합니다. [실루엣] 레이어를 선택한 후 왼쪽 위의 [Object]–[Image Trace]에서 [Make and Expand]를 클릭하면 확인 창이 나타납니다. [OK]를 누릅니다.

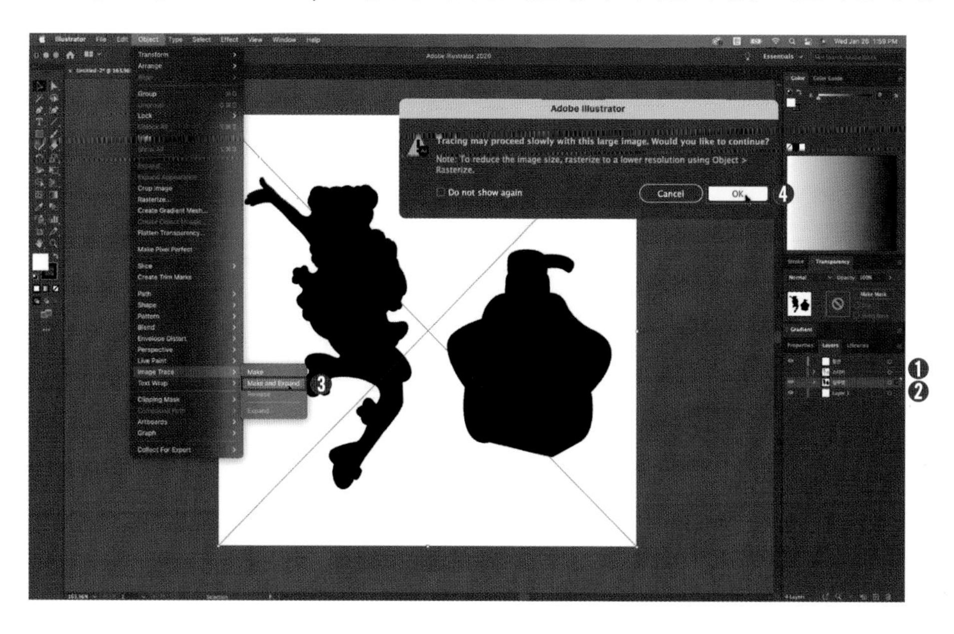


**05** [실루엣] 레이어가 선택한 상태에서 [Object]–[Expand]를 클릭합니다.

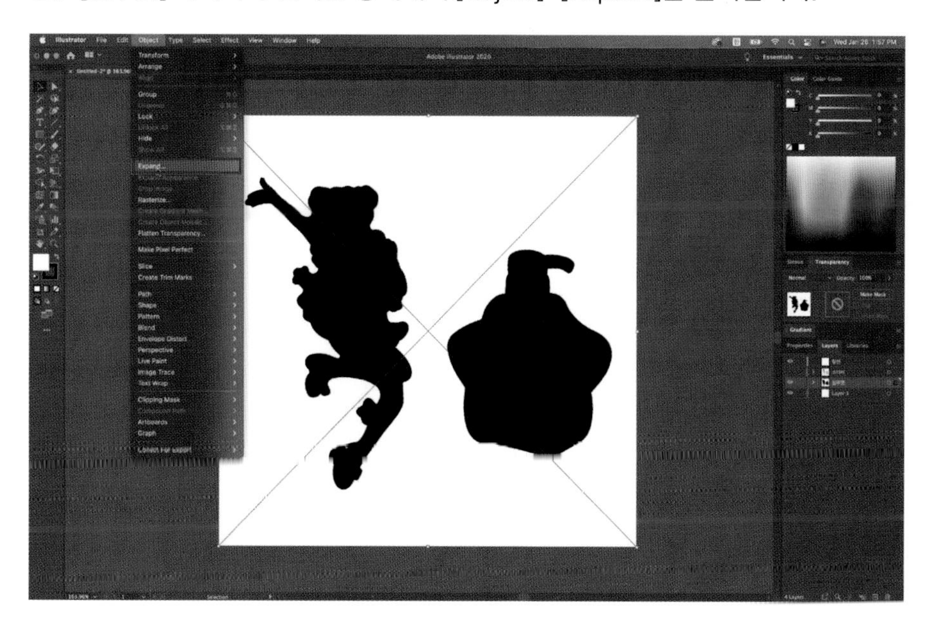

실루엣 이미지를 일러스트레이터 백터로 변환시켜 주는 과정입니다.

**06** Expand가 완료되면 [실루엣] 레이어를 선택합니다. 마우스를 두 번 클릭하면 메뉴 창이 나타납니다. [Ungroup]을 클릭합니다.

**07** 각 아이콘 백터가 분리됩니다. 즉, 각 아이콘을 따로 선택할 수 있게 됩니다.

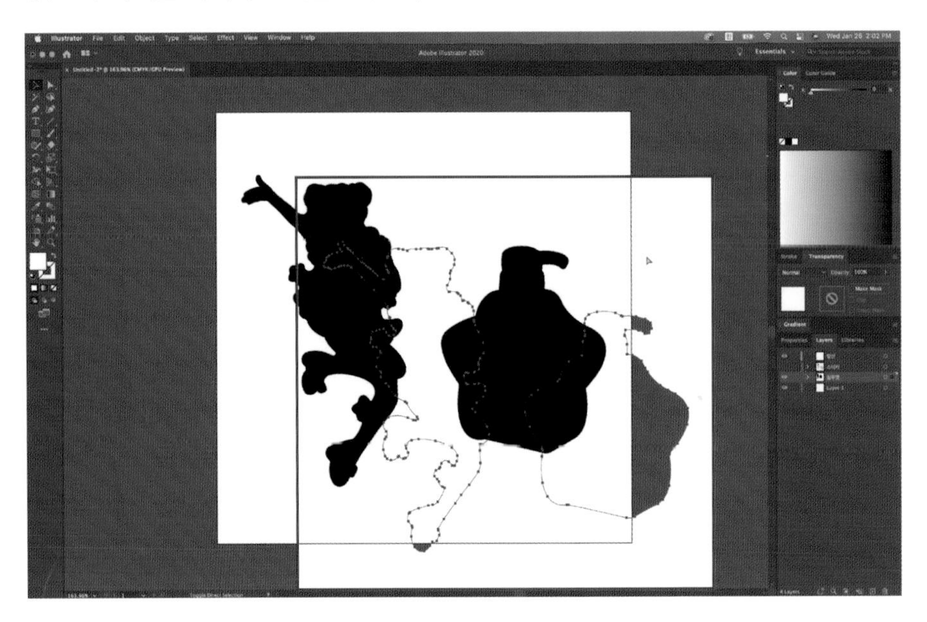

08 따로 분리된 백터 중 배경 백터는 Delete 버튼을 눌러 삭제합니다.

09 본격적으로 칼 선을 만들기 위해 분리된 두 실루엣 아이콘을 Shift를 누른 상태로 함께 선택합니다. [Object]–[Path]를 클릭한 후 [Offset Path]를 클릭합니다. 'Offset Path' 화면이 나타나면 원하는 칼 선의 두께(Offset)를 지정한 후 [OK]를 클릭합니다.

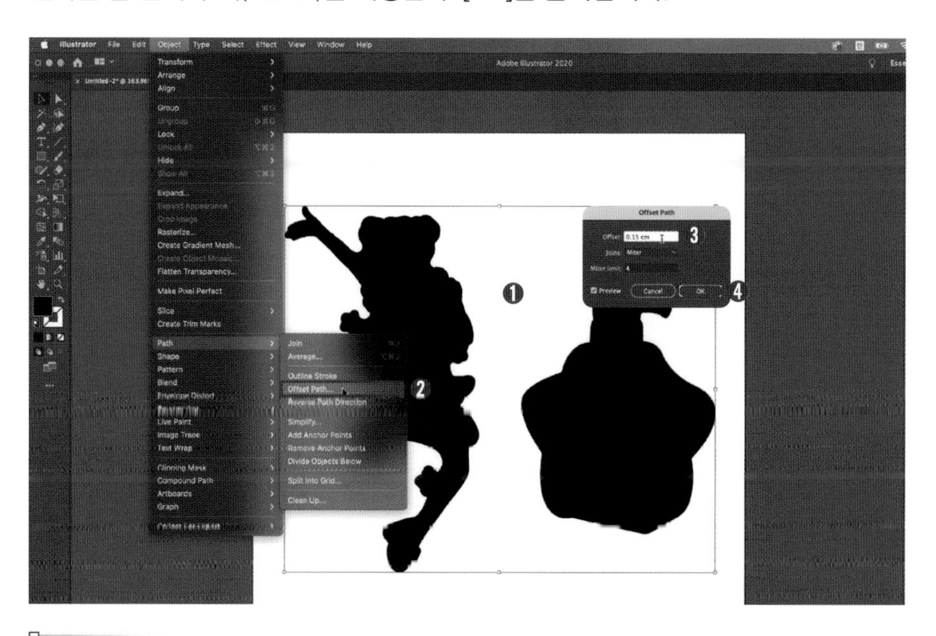

업체마다 다를 수 있지만, 대체로 스티커 밀림을 방지하기 위해 1.5–2mm 정도의 여백을 요구합니다.

10 겉의 두꺼워진 부분(칼선)만 선택한 후 왼쪽의 [Fill and Stroke]를 바꿔 줍니다.

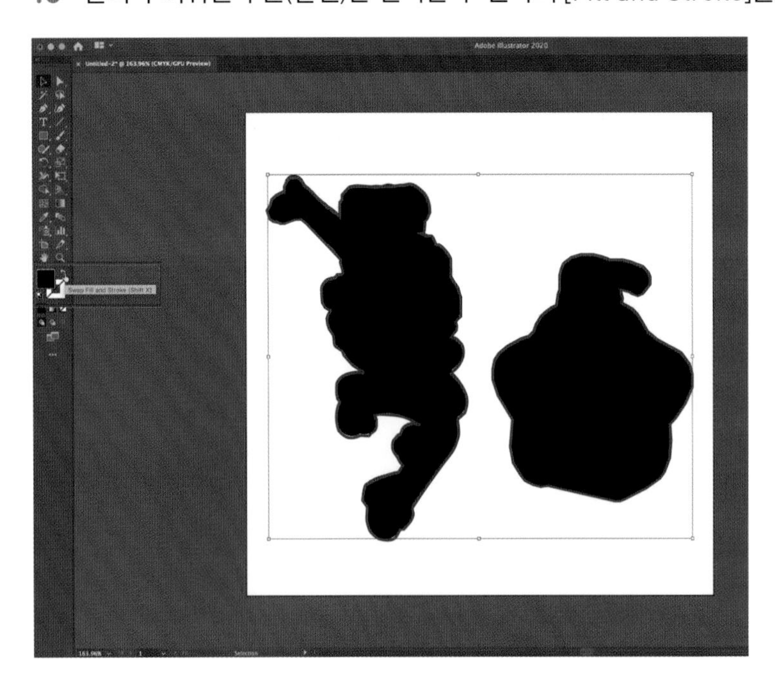

11 아래와 같이 칼 선만 남게 됩니다.

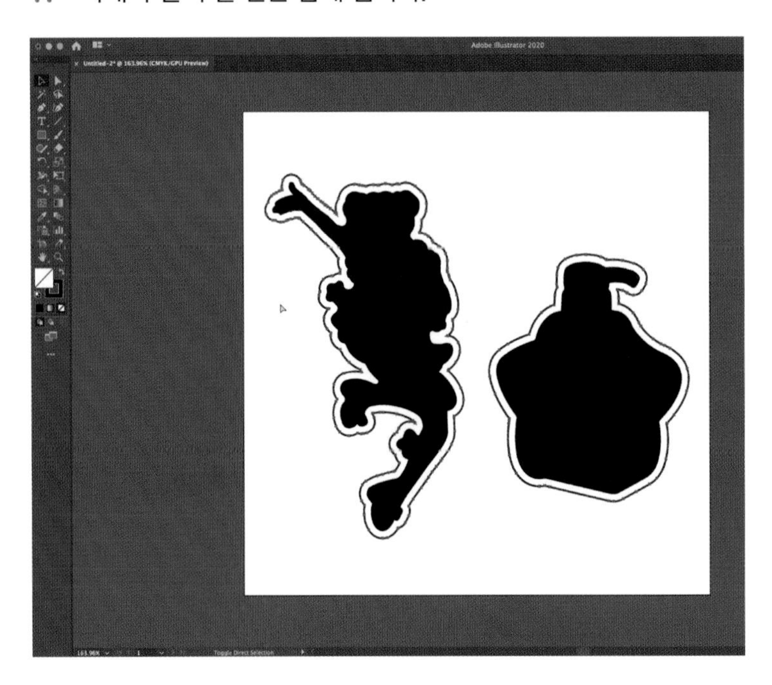

**12** 칼 선만 선택해서 [칼 선] 레이어로 복사+붙이기하여 옮겨 줍니다. [실루엣] 레이어는 삭제하도록 합니다.

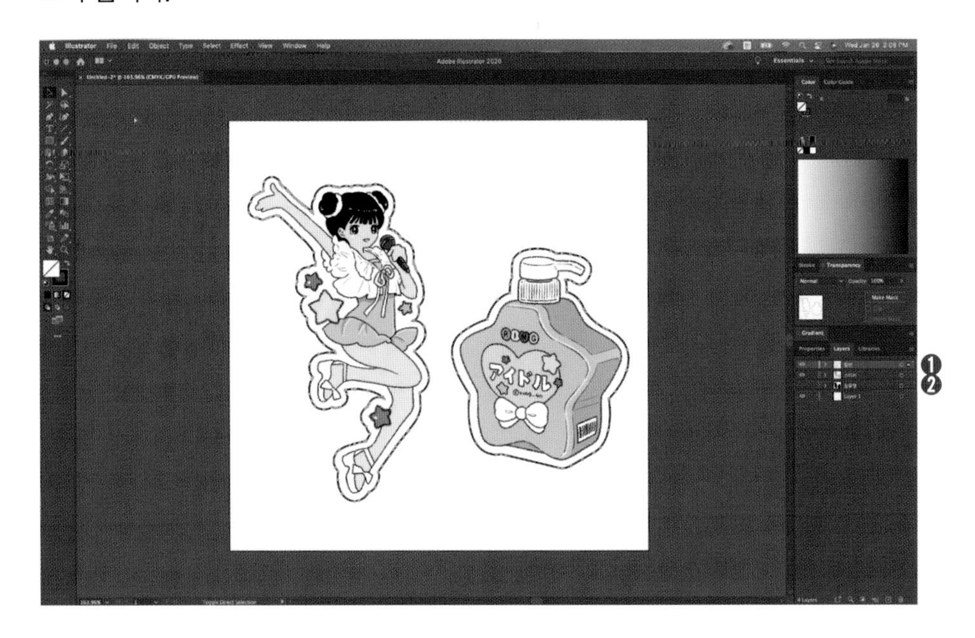


**13** 모든 업체들은 칼 선의 색을 CMYK의 색 중에서 [M 100%]로 요구합니다. 칼 선의 색을 변경하기 위해 [Window]를 클릭한 후 [Color]–[CMYK]를 차례대로 선택합니다. 색과 칼 선을 조정합니다.

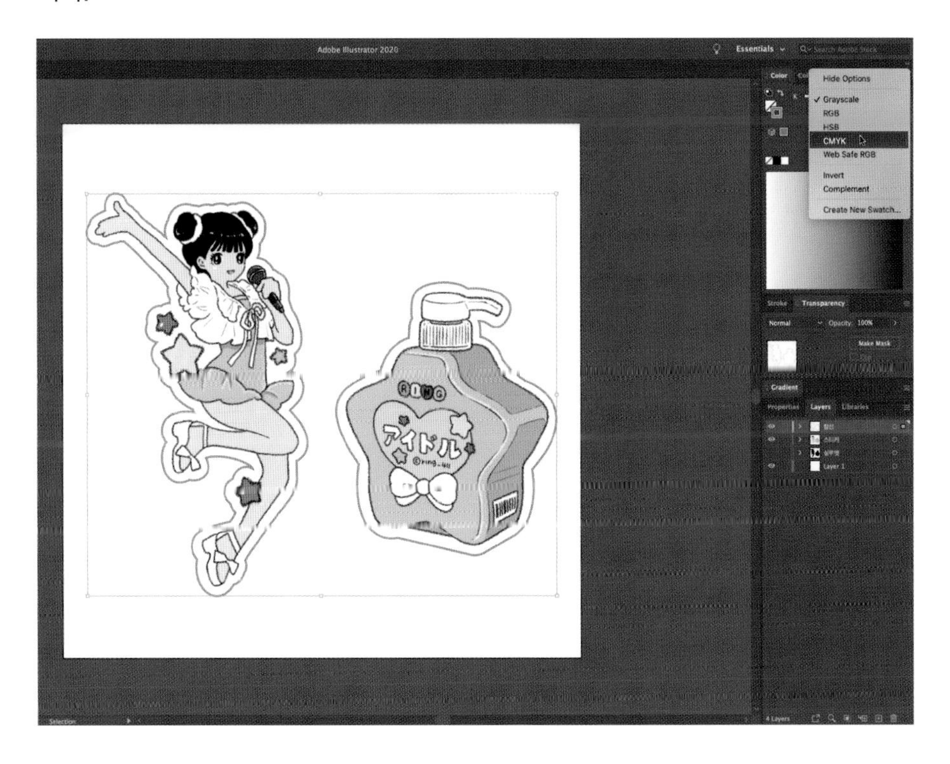

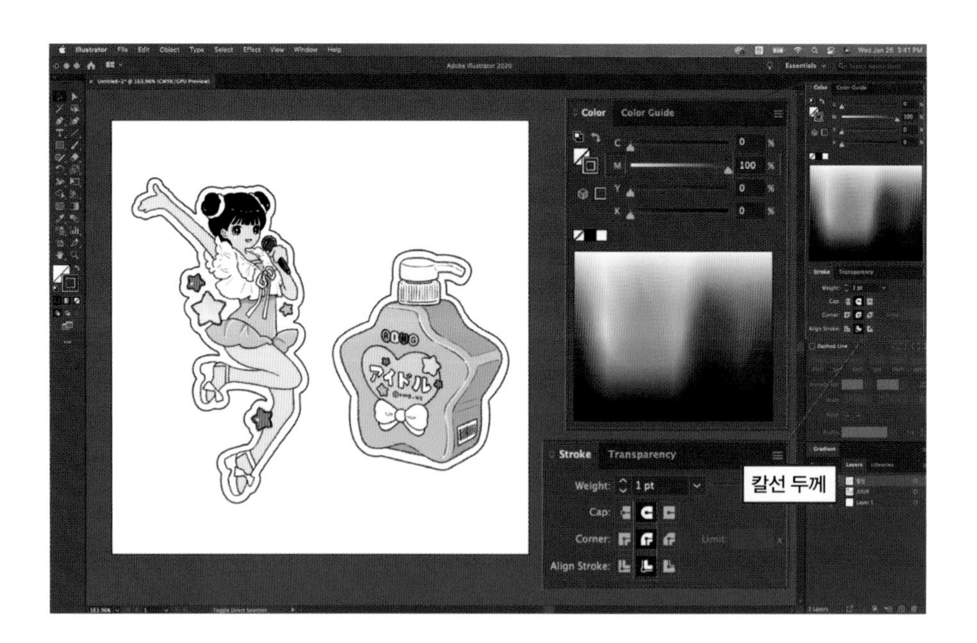

칼 선이 부드럽지 않으면 재단에 문제가 생길 수 있기 때문에 [Window]–[Stroke]에서 예시와 같이 둥근 [Cap], [Corner], [Allign Stroke]를 선택해 주도록 합니다.

**14** 아래와 같이 스티커와 칼 선이 완성됩니다. 이대로 저장하여 업체에 주문합니다.

# 아크릴 키링 만들기

아크릴 키링을 제작할 때는 스티커 제작과 비슷하지만 키링이기 때문에 연결용 고리가 들어갈 구멍을 확인해야 합니다. 키링 또한 인쇄와 커팅으로 만들어지기 때문에 도안을 잘 확인하여 작업하는 것이 중요합니다.

**01** 스티커를 만들 때와 같은 방법으로 아이콘을 정해 칼 선을 따줍니다. 키링의 경우 실루엣을 지우지 않고 색을 CMYK의 [K 100%]로 설정해 백색 영역으로 사용합니다. 이 실루엣이 '화이트'라는 인쇄 배경이 됩니다. 쉽게 설명하자면 인쇄물의 색감을 더 밝고 확실히 구현하기 위해 백색 영역이 들어가는 것입니다. 화이트가 들어가지 않는다면 인쇄물의 색은 투명하게 보입니다.

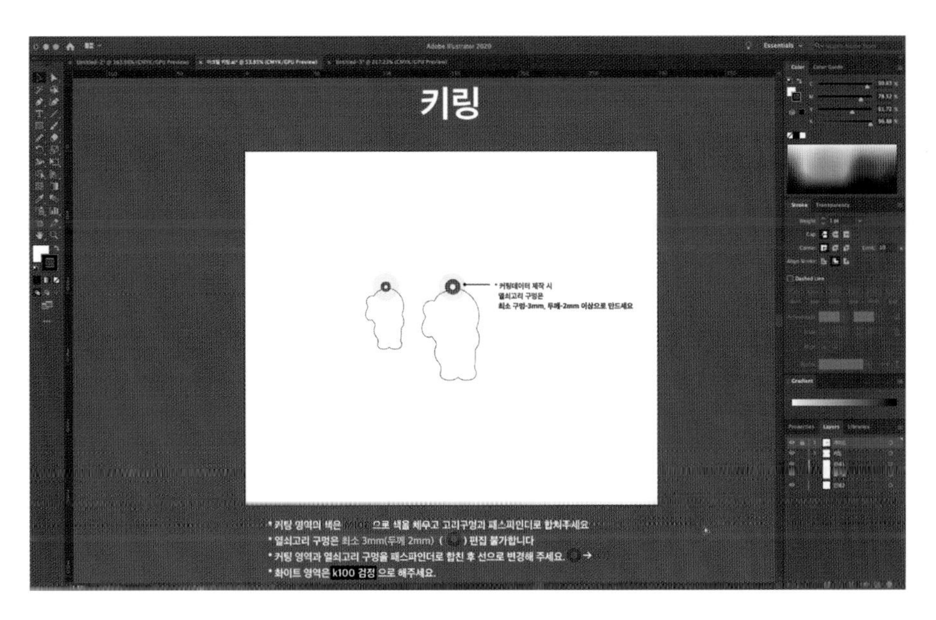

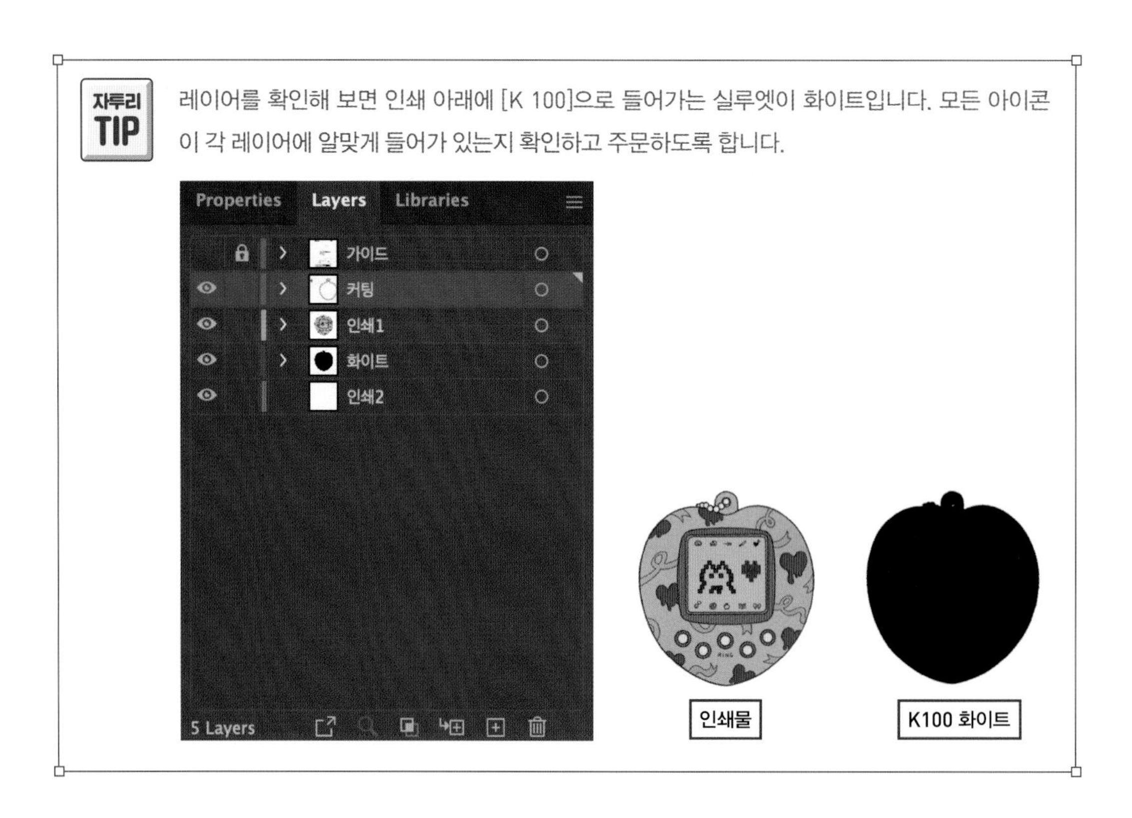

자투리 TIP

레이어를 확인해 보면 인쇄 아래에 [K 100]으로 들어가는 실루엣이 화이트입니다. 모든 아이콘이 각 레이어에 알맞게 들어가 있는지 확인하고 주문하도록 합니다.



**02** 키링의 커팅 칼 선과 고리를 함께 선택한 후 [Window]를 클릭한 다음 [Pathfinder]–[Unite]를 차례대로 클릭합니다. 키링 구멍과 칼 선이 합쳐집니다.

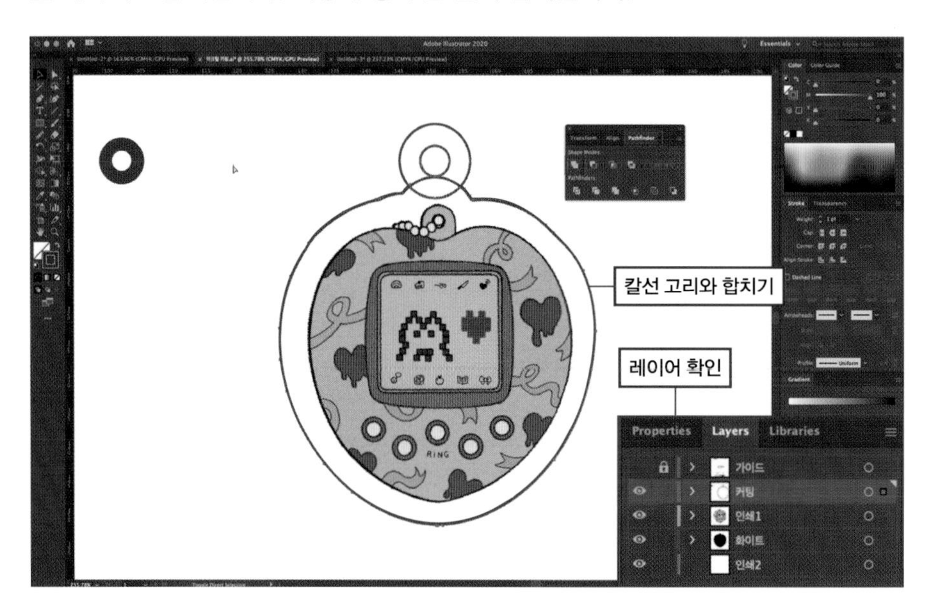

**03** 도안이 완성되었습니다. 그 외의 부분은 업체에서 요구하는 저장 옵션에 따라 저장하여 진행합니다.

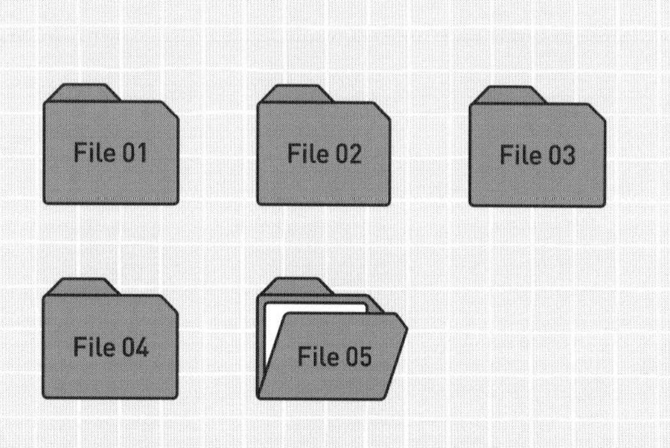
File 01
File 02
File 03
File 04
File 05

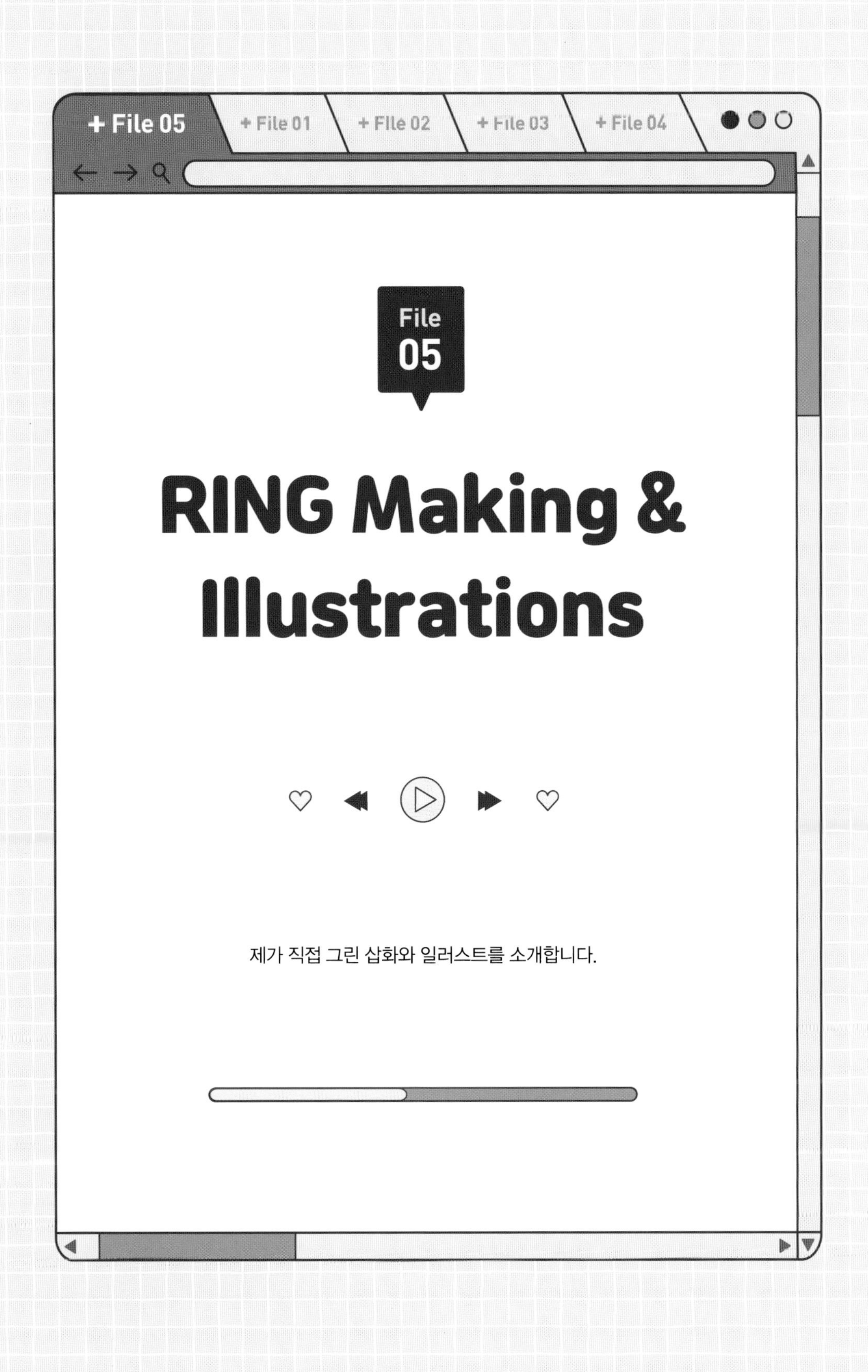


# RING Making & Illustrations

제가 직접 그린 삽화와 일러스트를 소개합니다.

## 아라의 소설 표지 삽화 Making (작가: 정세랑 / 안온북스)

1
2
3
4
좋음
싫음
22 00

아라의 소설
좋음
싫음

## Illustrations

RING
Ring
RING

To Do List
01. カセットテープ
デザイン！
02. 運動しよう！
Ring
FM
AM
MHz
KHz
Ring
アイドル
Love

RING
アイドル
©ring_411

▶ Stand By Me (MV scene / Music : Mamakhalees)

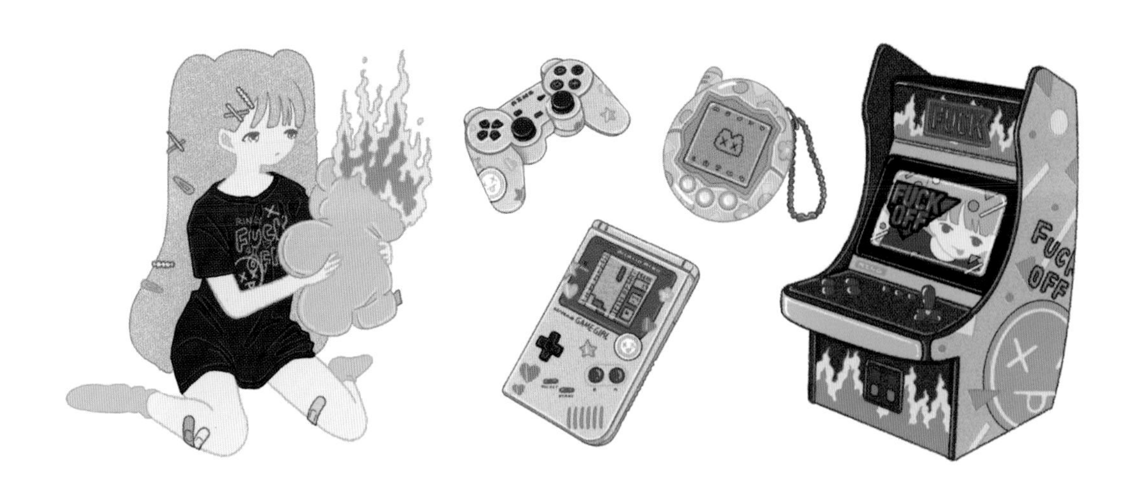
FUCK
FUCK OFF
FUCK OFF

アイドル

# 그림이 움직이는
# 아이패드 드로잉

**1판 1쇄 발행** 2024년 5월 13일

**저　　자** | RING
**발 행 인** | 김길수
**발 행 처** | (주) 영진닷컴
**주　　소** | (우)08507 서울특별시 금천구 가산디지털 1로 128
STX-V 타워 4층 401호
**등　　록** | 2007. 4. 27. 제 16-4189호



**ISBN** | 978-89-314-7456-5